思ったこと全部、英語で口にしてみる

気持ちを
あらわす
日常英語表現

野村真美
Nomura Mami

CD BOOK

ベレ出版

JN236192

はじめに

　本書では「～しようかな」などの日常生活で頻繁に使う『心のつぶやき』から『自分の気持ちや意思を伝える』という会話において重要なフレーズまで、幅広い表現をとりあげています。
　『心のつぶやき』は日々私たちが行動するたびに思ったり、感じたりしていることなので、親しみやすく、覚えやすい表現ばかりです。
　『自分の気持ちや意思を伝える』ということは、人と上手にコミュニケーションをとるためにとても大切なことです。ここでは日常生活の中で自分が感じたこと、思ったことなどを相手にしっかり伝えるためのフレーズをたくさん集めました。
　簡単なあいづちひとつにしてもさまざまな表現があります。たったひとことを知らないだけで誤解を生じたり、たったひとことを知っているだけでコミュニケーションがスムーズに運んだりすることはよくあることです。
　いつでも、どこでも、誰でも、気軽に本書をめくっていただければ、英会話を通してのコミュニケーションに大きく役立つこと間違いなしです。

本書の使い方について

- **Conversation** の部分ではそれぞれのシチュエーションによる自然な訳にしてありますので、参考にしてください。

- **Point** の部分では英文と日本語訳に大きな違いがある場合など、特に注意してほしい点、また理解しにくかったり、勘違いしや

すい部分の解説をしています。本文のフレーズに ▓▓▓▓▓▓ の
マークがついている部分を **Point** の部分にて解説しています。

● **Words** の部分では聞きなれない単語、むずかしい単語を優先
的に選んで記載しています。

本書が「身のまわりの生活英語表現」と共にたくさんの人々の英会話のレベルアップに役立ってくれることを心より願っております。

野村真美

本書の CD について
○ 収録時間……66 分
○ ナレーター…Chris Koprowski
　　　　　　　　Judy Venable

「CD BOOK　身のまわりの生活英語表現」
野村真美／1700円・税別

Contents

はじめにと本書の使い方

1 日々の生活をそのままことばに

Scene 1 1日のはじまり
寝過ごしちゃった —————— 14

Scene 2 洗面など
誰かトイレに入ってるな —————— 16

Scene 3 身支度1
ひげを剃るのを忘れてた —————— 18

Scene 4 身支度2
お化粧しなくちゃ —————— 20

Scene 5 外の様子をうかがう
今日は雨になりそうだな —————— 22

Scene 6 出かけるとき
傘を持って行った方がいいかな —————— 24

Scene 7 電車に乗る
次の電車を待とう… —————— 26

Scene 8 車の運転
ここ一方通行かな？ —————— 28

Scene 9 食事の支度1
コーヒーが飲みたいな —————— 30

Scene 10 食事の支度2
お昼ご飯は何にしようかな？ —————— 32

Scene 11 食事のとき
おいしそうだな〜 —————— 34

Scene 12 食事のあと片付け
早く洗ってしまわなくちゃ ─── 36

Scene 13 育児
赤ちゃんのおむつを取り替えるね ─── 38

Scene 14 そうじ
古新聞を束ねなきゃ ─── 40

Scene 15 雑用
スーパーへ買い物に行ってくるね ─── 42

Scene 16 庭の手入れ
庭の草取りをしなくちゃ ─── 44

Scene 17 ペットと過ごす
ラッキーをお風呂に入れた方がいいな ─── 46

Scene 18 学校で
今日は数学のテストだ ─── 48

Scene 19 仕事場で
今日は残業だな ─── 50

Scene 20 仕事を終えて
今日はまっすぐ家に帰ろう ─── 52

Scene 21 友人を食事に誘う
今日は彼におごってあげよう ─── 54

Scene 22 飲みに行く
少し酔ったみたい ─── 56

Scene 23 ショッピング1
ウインドウショッピングでも行こうっと ─── 58

Scene 24 ショッピング2
このスーツはピッタリだわ ─── 60

Scene 25 サイズについて
私には大きすぎるわ ─── 62

Scene 26 レストランで
デザートは別腹なの ─── 64

Scene 27	支払いをする ボーナス一括払いにしよう	66
Scene 28	銀行で お金をおろさなきゃ	68
Scene 29	郵便局で 速達で送った方がいいかな	70
Scene 30	帰り道 コンビニに寄っていこう	72
Scene 31	帰宅時 今日はメッセージなしだな	74
Scene 32	入浴 お風呂わかそうかな	76
Scene 33	テレビ サッカーの試合でも見よう	78
Scene 34	くつろぎタイム 顔のパックをしよう	80
Scene 35	休日1 USJに行きたいな	82
Scene 36	休日2 飛行機のチケットを取らなきゃ	84
Scene 37	旅先で 道に迷っちゃった	86
Scene 38	四季 桜が満開だ	88
Scene 39	電話1 まだ話し中だ	90
Scene 40	電話2 メールだ	92

2 意思を伝えるひとこと

Scene 1 賛成・同意1
私はそれでいいわよ —— 96

Scene 2 賛成・同意2
確かにそうよね —— 98

Scene 3 反対・否定1
納得できないよ —— 100

Scene 4 反対・否定2
まず無理だね —— 102

Scene 5 Noと言わずに否定する1
そうしたいけど無理なの —— 104

Scene 6 Noと言わずに否定する2
話が違うよ —— 106

Scene 7 はっきり答えられない
何とも言えないわ —— 108

Scene 8 返事を先延ばしにする
考えなおしてみる —— 110

Scene 9 理由を聞く
なぜなのか言って —— 112

Scene 10 相手の考えを聞く
どう思う? —— 114

Scene 11 相手が理解したかどうか聞く
はっきりわかった? —— 116

Scene 12 許可を求める
タバコを吸ってもいい? —— 118

Scene 13 許可をする
私はそれでいいですよ —— 120

Scene 14 依頼
メルアド(Eメールのアドレス)教えてくれる? —— 122

Scene 15	注意 **車に気をつけて**	124
Scene 16	制止 **邪魔しないで**	126
Scene 17	警告1 **よく考えて行動しなさい**	128
Scene 18	警告2 **虫歯になっちゃうよ**	130
Scene 19	さとす **仲直りしなさい**	132
Scene 20	誤解を解く **誤解しないで**	134
Scene 21	決心する **決心したよ**	136
Scene 22	言い訳をする **そんなつもりじゃなかったんだ**	138

3 気持ちを伝えるひとこと

Scene 1	感謝の気持ちを伝える **ありがとう**	142
Scene 2	謝罪の気持ちを伝える **ごめんなさい**	144
Scene 3	嬉しい気持ちを伝える **ラッキーだ！**	146
Scene 4	悲しい気持ちを伝える **ついてないな〜**	148
Scene 5	腹立たしい気持ちを伝える **聞いてないよ〜！**	150

Scene		ページ
6	思いやりのことばをかける **どうかしたの？**	152
7	気配りを示す **お手伝いしましょうか？**	154
8	なぐさめる **運が悪かったね**	156
9	励ます **応援してるよ**	158
10	誉める **すごいね！**	160
11	驚く **びっくりさせないでよ！**	162
12	あきらめる **どうしようもないんだ**	164
13	退屈 **たいくつだな〜**	166
14	疑いをもつ **どうかしらね…**	168
15	感想 **今のところ順調だよ**	170
16	注意をひく **見て！**	172
17	興味がない **興味ないよ**	174
18	疲れた **くたくただよ**	176
19	時間がない **時間がないんだ**	178
20	後悔する **あんなこと言わなきゃよかったな**	180

4 会話をなめらかにするひとこと

Scene 1 基本的なあいづち
ふ〜ん ——————— 184

Scene 2 会話を盛り上げるあいづち
すごいね！ ——————— 186

Scene 3 程度を言うあいづち
いまいちね… ——————— 188

Scene 4 聞き返す
何て言ったの？ ——————— 190

Scene 5 理解できない
わからなくなってきたよ ——————— 192

Scene 6 話についていけない
何が言いたいの？ ——————— 194

Scene 7 英語で言えない
英語で何て言うんだっけ？ ——————— 196

Scene 8 自分の話を聞いてもらう
ちょっと時間ある？ ——————— 198

Scene 9 話題を変えたい
話題を変えない？ ——————— 200

Scene 10 話の途中で
お話し中すみません ——————— 202

Scene 11 相手の意見を引き出す
どう思う？ ——————— 204

Scene 12 状況を聞く
あれはどうなった？ ——————— 206

Scene 13 生活の中でよく使う質問1
どうかしたの？ ——————— 208

Scene 14 生活の中でよく使う質問2
あの音は何？ ——————— 210

Scene 15	単純な質問 何のために？	212
Scene 16	どれくらい？ どれくらい遠い？	214
Scene 17	誘う 遊びに来ない？	216
Scene 18	都合を聞く 今晩予定ある？	218
Scene 19	都合を言う その日は都合が悪いの	220
Scene 20	キケンに対処する 誰か〜!!	222
Scene 21	学校について 夏休みはいつから？	224
Scene 22	仕事について どこで働いてるの？	226
Scene 23	趣味について どんなスポーツが好き？	228
Scene 24	夢について 私の夢がかなったの！	230
Scene 25	あいさつ どうしてた？	232
Scene 26	人を紹介する 古くからの友人です	234
Scene 27	自己紹介 7月5日に二十歳になります	236
Scene 28	年齢、身長、体重 身長はどれくらい？	238

第1章

日々の生活を そのまま ことばに

Scene 1 1日のはじまり
寝過ごしちゃった

CD-01

寝過ごしちゃた。	I've overslept.
まだ眠いよ〜。	I'm still sleepy.
起きよっと。	I'll get up.
目覚ましが聞こえなかったな。	I didn't hear the alarm.
目覚まし鳴ったのかな〜?	Did the alarm clock ring?
起きたくないな。	I don't want to get up.
起きてるよ。	I'm awake.
あと5分寝かせて。	Let me sleep another 5 minutes.

Conversation

起きる時間だよ。 It's time to get up.
あと5分寝かせて。 Let me sleep another 5 minutes.

やっと起きたのね。 You finally got up.
目覚ましが聞こえなかったんだ。 I didn't hear the alarm.

Point

- overslept；oversleep は「寝過ごす」have＋overslept（過去分詞）で「寝過ごしてしまった」というニュアンスを表現しています。
- I'm awake.；be＋awake で「起きている」の意。
- another；「あと〜、もう〜」の意。

Words

- [ ] still…まだ〜
- [ ] sleepy…眠い
- [ ] get up…起きる、過去形は got up。
- [ ] hear…聞こえる
- [ ] alarm…目覚まし時計　alarm clock も同じ。
- [ ] ring…鳴る
- [ ] want…〜したい
- [ ] sleep…眠る

Scene 2 洗面など
誰かトイレに入ってるな

誰かトイレに入ってるな。	Somebody's in the bathroom.
トイレに行こっと。	I'll go to the bathroom.
トイレ空いてる？	Is the bathroom vacant?
トイレ使いたいんだけど。	I need to use the bathroom.
長くかかる？	Do you take long?
おしっこ行きたい。	I need to pee.
おしっこに行く時間よ。	It's time to go pee-pee.
トイレがふたつあればいいのに。	I wish we had two bathrooms.

Conversation

 トイレ使いたんだけど。　I need to use the bathroom.

ちょっと待ってよ。　Wait a minute.

 トイレに行こっと。　I'll go to the bathroom.
僕が先！　I'll go first !

Point

- Somebody's；somebody is の短縮形。
- need；want よりもさし迫った状況のときに使う。
- take；「時間がかかる」という意味の take。
- pee；子供に対して使うことば。wee とも言う。
- pee-pee；幼児に対して使うことば。wee-wee とも言う。
- I wish we had；I wish〜は仮定法で「〜だったらいいのになあ」という言い方。その後の文は過去形をとります。

Words

- somebody…誰か
- bathroom…トイレ　公共の場でのトイレは restroom。
- vacant…空いている
- need…〜したい、〜する必要がある

Scene 3 身仕度(1)
ひげを剃るのを忘れてた

ひげを剃るのを忘れてた。	I forgot to shave.
シェービングクリームはどこだ？	Where's the shaving cream?
顔を洗ってこよう。	I'll go wash my face.
歯ブラシしなくちゃ。	I have to brush my teeth.
髪をとかさなくちゃ。	I have to comb my hair.
シャンプーしなくちゃ。	I have to shampoo my hair.
コンタクトを入れないと。	I have to put in my contacts.
コンタクトはどこだっけ？	Where are my contacts?

Conversation

 ひげを剃るのを忘れてた。　　I forgot to shave.
 もう時間ないよ。　　　　　　We have no time.

 コンタクトはどこだっけ？　　Where are my contacts?
知らないよ。　　　　　　　　I don't know.

Point

- go wash；go and wash の and が省略された形。
- have to；「〜しなくちゃ」というニュアンスの表現。
- shampoo my hair；日本語では「頭を洗う」という言い方もありますが英語では shampoo my head とは言いません。

Words

- [ ] forgot…forget「忘れる」の過去形。
- [ ] shave…ひげを剃る
- [ ] face…顔
- [ ] teeth…歯、単数形は tooth。
- [ ] comb…（髪を）とかす
- [ ] put in…入れる
- [ ] contacts…コンタクトレンズ、単数形は contact。

Scene 4 身仕度(2)
お化粧しなくちゃ

すっかり準備できてるよ。	I'm all ready.
仕事に行く用意しなくちゃ。	I have to get ready for work.
お化粧しなくちゃ。	I have to put on my make up.
イヤリングどこに置いたかしら？	Where did I put my earrings?
何を着て行こうかな？	What should I wear?
ピンクのスーツにしよう。	I'll wear this pink suit.
もうグズグズしていられないわ。	No more fooling around.
早く着替えなさい。	Hurry up and get dressed.

Conversation

 何を着て行こうかな？ What should I wear ?
 どれでもいいよ。 Anything is OK.

早く着替えなさい。 Hurry up and get dressed.
今やってるわよ。 I am.

Point

- get ready；「用意をする」の意。
- make up；名詞でメーキャップ、化粧の意。
- wear；「着ている」という状態を表します。「着る、身につける」という動作のみを言う場合は put on を使います。
- fooling around；fool around で「ふざけている、なまけている」という意味。

Words

- ready…準備のできた、用意のできた
- work…仕事
- put on…（化粧を）する
- put…置く
- hurry up…急ぐ
- get dressed…服を着る

Scene 5 外の様子をうかがう
今日は雨になりそうだな

また雨だ。	It's raining again.
また雪だ。	It's snowing again.
気持ちのいい日だよ。	It's a lovely day.
晴れてるといいな。	I hope it's sunny.
今日は雨になりそうだな。	It might rain today.
今日は降らないでほしいなあ。	I hope it doesn't rain today.
今日は雪になるかなあ。	I wonder if it's going to snow today.
今日は暑くなりそうだな。	It's going to get hot today.

Conversation

 今日の天気はどう？　　　　How's the weather today?
 気持ちのいい日だよ。　　　It's a lovely day.

 今日は雨になりそうだな。　It might rain today.
 傘を持って行きなさいね。　Take your umbrella.

Point

- I hope；「～であってほしい」というニュアンス。
- might；「～かも知れない」という意味から「～しそうだ」といったニュアンスになる。
- I wonder if；「～かなあ？」といったニュアンスで使う。
- It's going to；be going to で近い未来を予測する表現になる。

Words

- [ ] raining…rain「雨が降る」の進行形。
- [ ] snowing…snow「雪が降る」の進行形。
- [ ] lovely…きれいな、素敵な
- [ ] sunny…天気の良い
- [ ] outside…外
- [ ] get…ある状態になる
- [ ] hot…暑い

Scene 6 出かけるとき
傘を持って行った方がいいかな

今日は学校さぼりたいなあ～。	I want to play hooky today.
傘を持って行った方がいいかな。	I should take my umbrella.
ゴミを出さなくちゃ。	I need to take out the garbage.
あなたがゴミを出す番よ。	It's your turn to take out the garbage.
急がなくちゃ！	I have to rush!
学校におくれちゃうよ。	I'll be late for school.
キーどこだっけ？	Where's my key?
行ってきます、お母さん。	Bye, mom.

Conversation

 あなたがゴミを出す番よ。 It's your turn to take out the garbage.

 違うよ、君の番だよ。 No, it's your turn.

 行ってきます、お母さん。 Bye, mom.
 車に気をつけてね。 Watch for cars.

Point

- play hooky；スラングで「学校をさぼる」の意。
- take out the garbage；「ゴミを出す」という言い方。
- Bye, mom.；日本語の「行ってきます」とまったく同じ言い方は英語にはありません。See you !などもよく使われます。これらのフレーズは同時に「いってらっしゃい」という意味でも使われます。

Words

- [ ] umbrella…雨傘　日傘は parasol
- [ ] turn…当番、順番
- [ ] garbage…ゴミ
- [ ] rush…急いでする、大急ぎでする
- [ ] be late…〜に遅れる

Scene 7 電車に乗る
次の電車を待とう…

手も足も動かないよ。	I can't move my arms or legs.
つり革につかまれないよ。	I can't hang on to any straps.
私、立ったまま眠れるの。	I can sleep standing up.
電車に乗り遅れちゃった。	I missed my train.
乗り過ごしちゃた。	I missed my stop.
次の電車を待とう…	I'll wait for the next train.
定期どこに入れたっけ？	Where did I put my train pass ?
電車に傘を置き忘れた。	I left my umbrella on the train.

Conversation

 私、立ったまま眠れるの。　I can sleep standing up.
 ほんとに？　Really?

 定期どこに入れたっけ？　Where did I put my train pass?

 上着のポケットは？　How about in the pocket of your jacket?

Point

- or：「〜も〜も〜ない」というときは and ではなく or を使います。
- my train：「私が乗る予定だった電車」という意味。
- my stop：「私が降りる予定だった駅、バス停」という意味。

Words

- [ ] move…動く
- [ ] arm…腕
- [ ] leg…足
- [ ] hang on…つかまる
- [ ] strap…つり革
- [ ] miss…逃す、乗りそこなう
- [ ] wait for…〜を待つ
- [ ] train pass…定期券
- [ ] left…leave「置き忘れる」の過去形。

Scene 8 車の運転
ここ一方通行かな?

すごい交通量だな。	Traffic is so heavy.
今日は交通量が少ないな。	There's not much traffic today.
信号、赤だ。	The light is red.
信号が赤になっちゃうぞ。	The light is going to turn red.
ここ一方通行かな?	Is this a one-way street?
ここ駐車禁止地帯かな?	Is this a no-parking zone?
渋滞だ!	A traffic jam!
どこに止めればいいかな?	Where should I park?

Conversation

 信号が赤になっちゃう。　　The light is going to turn red.

 安全運転でお願いね。　　Please drive safely.

 ここ一方通行かな？　　Is this a one-way street?
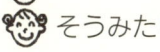 そうみたいね。　　Looks like it.

Point

- heavy；ここでの heavy は「多い」という意味。
- There's not〜；「〜がない」という言い方。
- light；traffic light「交通信号」のこと。
- is going to；be going to で「今まさに〜しようとしている」状態を表現することができます。

Words

- [ ] traffic…交通量
- [ ] turn…変わる
- [ ] one-way street…一方通行の道
- [ ] no-parking zone…駐車禁止地帯
- [ ] traffic jam…交通渋滞、jam は「混雑」の意。
- [ ] park…駐車する

Scene 9 食事の仕度(1)
コーヒーが飲みたいな

味はどうかな？	How does it taste?
スパイスを入れた方がいいかな。	I should add some spice.
思ったよりおいしいな。	It's better than I expected.
コーヒーが飲みたいな。	I want a cup of coffee.
コーヒーいれよっと。	I'll make some coffee.
サンドイッチを作ろう。	I'll make sandwiches.
トーストが焼けたぞ。	The toast is burned.
卵はどこだ？	Where are the eggs?

Conversation

 味はどう？　　　　　　　　How does it taste?
 甘すぎるよ。　　　　　　　It's too sweet.

 卵はどこだ？　　　　　　　Where are the eggs?
 冷蔵庫だよ。　　　　　　　In the fridge.

Point

- should；「〜すべき」という意味より「〜した方が良い」といったやわらかいニュアンスでよく使われます。
- It's better than〜；比較級を使った表現で「〜より良い」という意味。ここでの better は「よりおいしい」の意。

Words

- [ ] taste…味がする
- [ ] add…加える
- [ ] expect…期待する
- [ ] a cup of…カップ一杯の
- [ ] make…作る
- [ ] sandwich…サンドイッチ
- [ ] toast…トースト
- [ ] burn…焼ける

Scene 10 食事の仕度(2)
お昼ご飯は何にしようかな?

今日はカレーライスよ。	We're having curry rice.
夕食の仕度しよっと。	I'll fix supper.
昼食の準備しなくちゃ。	I have to fix lunch.
おいしそうだわ。	It looks good.
お昼ご飯は何にしようかな?	What shall I make for lunch?
ご飯を炊かなきゃ。	I have to make rice.
この包丁よく切れないわ。	This knife is dull.
この包丁よく切れるわ。	This knife really cuts well.

Conversation

 昼食の準備しなくちゃ。　I have to fix lunch.
 手伝おうか？　Can I help you?

 この包丁よく切れるね。　This knife really cuts well.
気をつけてね。　Be careful.

Point

- We're having；ここでの have は「食べる」という意味。We are having〜という進行形で「もうすぐ食べる」といったニュアンスを表現しています。
- have to；must「〜しなければならない」より弱い表現。「〜しないと」「〜しなきゃ」といったニュアンス。

Words

- [ ] fix…（食事の）用意をする
- [ ] supper…夕食
- [ ] lunch…昼食
- [ ] look…〜のように見える
- [ ] make rice…ご飯を炊く
- [ ] really…本当に
- [ ] well…良く

Scene 11 食事のとき
おいしそうだな〜

なんか食べた気がしないな〜	I don't really feel full.
コーヒーで目が覚めるな。	Coffee wakes me up.
いい匂いだな〜	Smells good.
おいしそうだな〜	It looks good.
おいしいな。	It's good.
おなかいっぱいだ。	I'm full.
やっぱりお箸がいいな。	I'd rather use chopsticks.
スカートにこぼしちゃった。	I spilled some on my skirt.

Conversation

 味はどう?
 おいしいよ。

How does it taste?
It's good.

もっと欲しい?
おなかいっぱい。

Do you want more?
I'm full.

Point

- I don't really feel full.；直訳では「本当に満腹になったように感じない」となります。
- Coffee wakes me up.；英語的な表現で直訳では「コーヒーが私の目を覚ます」となります。
- I'd rather〜；I would rather〜の省略形で「むしろ〜したい」というニュアンスを表現することができます。

Words

- feel…〜のように感じる
- wake up…目を覚ます
- smell…匂う
- look…〜のように見える
- chopsticks…箸　*通常複数形で使う。
- spill…こぼす

Scene 12 食事のあと片付け
早く洗ってしまわなくちゃ

カップを割っちゃった。	I broke a cup.
テーブルを片づけなくちゃ。	I have to clear the table.
お皿洗ってしまうね。	I'll do the dishes.
テーブルを拭くの忘れてた。	I forgot to wipe the table.
早く洗ってしまわなくちゃ。	I have to wash them fast.
食器用洗剤はどこだ？	Where's the dish soap?
どうして私がお皿を洗わなくちゃいけないの？	Why do I have to wash the dishes?
乾いたふきんを出さなきゃ。	I need another dry dishcloth.

Conversation

😤 早く洗ってしまわなくちゃ。 I have to wash them fast.
😕 どうして? Why?

😤 乾いたふきんを出さなきゃ。 I need another dish-cloth.
😕 どこにあるの? Where is it?

Point

- clear the table；「テーブルの上の食器を片づける」という意味。
- do the dishes；「お皿を洗う」という意味。同様の使い方にdo the laundry「洗濯をする」という言い方があります。ここでのdoは「仕事を片づける」という意味。

Words

- [ ] broke…break「割る」の過去形。
- [ ] forgot…forget「忘れる」の過去形。
- [ ] wipe…拭く、拭き取る
- [ ] fast…早く
- [ ] dish soap…食器用洗剤
- [ ] another…別の、他の
- [ ] dishcloth…ふきん

Scene 13 育児
赤ちゃんのおむつを取り替えるね

CD‑07

> Oh,… her diaper is soaking wet.
> ああ…おむつがびっしょりだ。

おむつがびっしょりだ。	Her diaper is soaking wet.
赤ちゃんのおむつを取り替えるね。	I'll change the baby's diaper.
ほ乳瓶を消毒しなくちゃ。	I have to sterilize the baby bottle.
赤ちゃんにパウダーつけてあげるの忘れてた。	I forgot to put powder on the baby.
どうして泣いてるの？	Why are you crying?
ミルクの時間よ。	It's time for milk.
おしっこ行きたい？	Do you need to pee?
いないいないばー！	Peekaboo!

Conversation

🙂 赤ちゃんにパウダーつけてあげるの忘れてた。
I forgot to put powder on the baby.

😊 大丈夫よ。
That's all right.

😊 ほ乳瓶を消毒しなくちゃ。
I have to sterilize the baby bottle.

🙂 僕があとでやっておくよ。
I'll do it later.

Point

- Her；男の赤ちゃんなら his となります。
- Do you need to pee？；子供に対して使うフレーズ。pee は「おしっこ」のこと。

Words

- [ ] diaper…おむつ
- [ ] soak…びしょぬれになる
- [ ] wet…濡れた
- [ ] sterilize…消毒する
- [ ] baby bottle…ほ乳瓶
- [ ] powder…パウダー
- [ ] put on…（パウダーなどを）つける
- [ ] cry…泣く

Scene 14 そうじ 古新聞を束ねなきゃ

お風呂の掃除ってイヤだな。	I hate to clean the bathroom.
ダンナにやってもらおう。	I'll have my husband do this.
ちらかってるわね。	It's so messy.
古新聞を束ねなきゃ。	I have to bundle old newspapers.
掃除機をもってくるね。	I'll bring the vacuum cleaner.
今日は床にモップをかけた方がいいかな。	I should mop the floor today.
ちり取りはどこだっけ？	Where's the dustpan?
シンクを磨くのを忘れてた。	I forgot to scrub the sink.

Conversation

- ダンナにやってもらおう。　　I'll have my husband do this.
- いい考えだね。　　That's a good idea.
- ちり取りはどこだっけ？　　Where's the dustpan?
- 今私が使ってる。　　I'm using it now.

Point

- have my husband do；「have＋目的語＋to のない不定詞」の形で「～に...させる、してもらう」という表現。

Words

- [ ] hate…きらう
- [ ] clean…掃除をする
- [ ] messy…散らかった
- [ ] bundle…束ねる
- [ ] bring…持ってくる
- [ ] vacuum cleaner…掃除機
- [ ] mop…モップでふく（動詞）
- [ ] dustpan…ちり取り
- [ ] scrub…ゴシゴシ磨く
- [ ] sink…シンク

Scene 15 雑用
スーパーへ買い物に行ってくるね

CD-08

> Oh, I should have come by car.
> ああ…車で来るべきだったわ。

車で来るべきだったわ。	I should have come by car.
スーパーへ買い物に行ってくるね。	I'll go grocery shopping.
卵も買わなきゃ。	I have to buy some eggs, too.
別のレジに行った方がいいかな。	I should go to another cashier.
郵便受けには何もないな。	There's nothing in the mailbox.
美容院に行ってくるね。	I'll go to a beauty shop.
新聞代を払わなくちゃ。	I have to pay my newspaper bill.
スーツをクリーニング屋さんに持って行くのを忘れたわ。	I forgot to take my suit to the cleaner's.

Conversation

- 車で来るべきだったわ。 I should have come by car.
- もう遅いよ。 It's too late now.

- 美容院に行ってくるね。 I'll go to a beauty shop.
- 何時ごろに帰ってくる？ When are you coming back ?

Point

- should have come；should＋have＋過去分詞で「〜するべきだった」「〜すればよかった」という表現になります。この場合のcomeは過去分詞。
- There's nothing；「何もない」という言い方。

Words

- [ ] grocery…食料雑貨店
- [ ] another…別の
- [ ] cashier…レジ係り
- [ ] mailbox…郵便受け
- [ ] pay…払う、支払う
- [ ] newspaper bill…新聞代
- [ ] take…持って行く
- [ ] cleaner's…クリーニング屋さん

Scene 16 庭の手入れ
庭の草取りをしなくちゃ

> Whew—! It's tough to mow the lawn…
> ふー！芝生を刈るのは大変だな…
>
> Oh, I have to do my homework now!
> そうだ！宿題しなくちゃ！

芝生を刈るのは大変だな。	It's tough to mow the lawn.
芝刈り機があったらなあ。	I wish I had a mower.
庭の草取りをしなくちゃ。	I have to weed the garden.
虫は苦手なのよね。	I hate insects.
トマトを植えるね。	I'll plant tomatoes.
実がなるのが待ち遠しいな。	I can't wait until harvest time.
バラが咲いたよ。	The roses have bloomed.
くまではどこだっけ？	Where's the rake?

Conversation

実がなるのが待ち遠しいな。　I can't wait until harvest time.

僕も。　Me, neither.

くまではどこだっけ？　Where's the rake ?

知らないよ。　I don't know.

Point

- I wish I had；I wish〜で「〜だったらなあ」という表現。そのあとにつくフレーズは過去形をとります。
- I can't wait until harvest time.；直訳では「収穫期まで待てない」となります。

Words

- [ ] tough…ほねのおれる（仕事など）
- [ ] mow…刈る、刈り取る
- [ ] lawn…芝生
- [ ] mower…芝刈り機、草刈り機
- [ ] weed…草取りをする
- [ ] insect…（植物にとって有害な）害虫
- [ ] plant…植える
- [ ] bloom…咲く

Scene 17 ペットと過ごす
ラッキーをお風呂に入れた方がいいな

Don't move, Lucky!
ラッキー！動くなよ！

動かないで。	Don't move!
猫にエサをあげなきゃ。	I have to feed the cat.
ラッキーをお風呂に入れた方がいいな。	I should shampoo Lucky.
猫のトイレを掃除するのを忘れてた。	I forgot to clean the litter box.
犬の散歩に行って来るね。	I'll take the dog for a walk.
ラッキー、朝ご飯だよ。	Lucky, it's breakfast.
ドッグフードがないぞ。	The dog food is all gone.
水用のお皿はどこだっけ？	Where's the water dish?

Conversation

ドッグフードがないよ。 The dog food is all gone.
買って来て。 Go get some.

お皿にお水入れた？ Did you fill the water dish?

水用のお皿はどこ？ Where's the water dish?

Point

- take the dog for a walk；take〜for a walk で「〜を散歩に連れて行く」という意味。
- all gone；「全部（食べて）なくなってしまった」という意味。

Words

- [ ] move…動く
- [ ] feed…エサを与える
- [ ] shampoo…シャンプーをする
- [ ] forgot…forget「忘れる」の過去形。
- [ ] clean…掃除をする
- [ ] litter box…猫のトイレ
- [ ] breakfast…朝食
- [ ] dog food…ドッグフード
- [ ] water dish…水用のお皿

Scene 18 学校で
今日は数学のテストだ

> This class is really boring. I'm falling asleep…
> この授業超たいくつだな〜 眠ってしまいそうだよ…

この授業本当に退屈だな。	This class is really boring.
宿題するの忘れてた。	I forgot to do my homework.
今日は数学のテストだ。	I have a math exam today.
授業さぼりたいなあ。	I want to skip class.
満点取ったぞ。	I got a hundred.
ヤマが当たったぞ。	My guess was right.
結果が心配だなあ。	I'm worried about the results.
やっとお昼休み(昼食の時間)だ。	It's finally lunch time.

Conversation

満点取ったぞ。 I got a hundred.
すごいじゃない！ Great!

どうかしたの？ What's wrong?
結果が心配なんだ。 I'm worried about the results.

Point

- ～is boring；「～が退屈である」という表現。
- skip class；「授業をさぼる」の意。
- I'm worried～；「～のことが心配だ」という表現。

Words

- [ ] class…授業
- [ ] really…本当に
- [ ] do one's homework…宿題をする
- [ ] have…～がある
- [ ] math…mathematics「数学」の略。
- [ ] exam…examination「試験」の略。
- [ ] guess…推測
- [ ] right…正しい
- [ ] result…結果
- [ ] finally…ようやく、ついに

Scene 19 仕事場で
今日は残業だな

CD▸10

> Oh, my! I put the wrong paper into the shredder!
> うわっ！違う書類をシュレッダーにかけちゃったよ！

違う書類をシュレッダーにかけちゃった。	I put the wrong paper into the shredder.
さて、何から始めようかな？	What do I have to do?
今日のスケジュールを確認しよう。	I'll confirm today's schedule.
今日は残業だな。	I have to work overtime tonight.
10時までにこれを済ませないと。	I have to finish it before 10.
肩がこったな。	My shoulders are so stiff.
休憩したいな。	I need a break.
また会議？	A meeting again?

Conversation

- 10時までにこれを済ませないと。
  I have to finish it before 10.
- もう10時になるよ。
  It's almost 10.

- 肩がこったな。
  My shoulders are so stiff.
- 肩もんであげようか？
  Shall I massage your shoulders?

Point

- I have to work overtime tonight. ; 直訳では「今夜は時間外労働をしなくちゃならない」となります。

Words

- [ ] wrong…間違った、誤った
- [ ] paper…書類
- [ ] put into…入れる、かける（シュレッダーなどに）
- [ ] shredder…シュレッダー
- [ ] confirm…確認する、確かめる
- [ ] schedule…スケジュール
- [ ] stiff…こった（肩などが）、固い
- [ ] break…休憩、ひとやすみ
- [ ] meeting…会議

Scene 20 仕事を終えて
今夜はまっすぐ家に帰ろう

やっともう少しで家だ。	I'm almost home at last.
全部かたづいた！	All done!
クタクタだよ。	I'm exhausted.
今日は忙しかった。	It's been a long day.
もう11時だ。	It's already 11.
今夜は楽しむぞ。	I'm going to have fun tonight.
今夜はまっすぐ家に帰ろう。	I'm going straight home tonight.
もう少しで乗り過ごすところだった。	I almost missed my stop.

Conversation

全部かたづいた！	All done!
やったね！	You did it!
今夜はまっすぐ家に帰ろう。	I'm going straight home tonight.
どうだか？	I doubt it.

Point

- It's been a long day.；直訳では「長い一日だった」となります。
- I almost missed my stop.；直訳では「自分が降りる予定の駅（やバス停）を逃すところだった」という意味。

Words

- [ ] almost…ほとんど〜、もう少しで〜
- [ ] at last…やっと、とうとう
- [ ] exhausted…be exhausted で疲れきるという意味。
- [ ] already…もう
- [ ] have fun…楽しむ
- [ ] tonight…今夜
- [ ] straight…まっすぐに
- [ ] home…家

Scene 21 友人を食事に誘う
今日は彼におごってあげよう

CD-11

> The food here is really good.
> ここの料理は本当においしいんだ。

> I hope so…
> そうだといいけど…

ここの料理は本当においしいんだ。	The food here is really good.
素敵なレストランに行きたいな。	I want to go to a nice restaurant.
予約した方がいいかな。	I should make a reservation.
今日は彼におごってあげよう。	I'm going to treat him today.
今日は寿司が食べたいな。	I feel like eating Sushi today.
彼はどうしたんだろう？	What happened to him?
もう来てもいい頃なのにな。	He should have been here by now.
彼ったらまた遅刻だわ。	He's late again.

Conversation

今日は寿司が食べたいな。 I feel like eating Sushi today.

私、お寿司大好き。 I love Sushi.

彼、遅いね。 He is late.
どうしたんだろうね？ What happened to him?

Point

- feel like eating；feel like 〜ing で「〜したい気分だ」の意。
- What happened to him?；直訳では「彼に何が起きたのか?」となります。
- should have been；should have＋動詞の過去分詞で「〜であるはず」というニュアンスを表現することができます。

Words

- really…本当に
- good…おいしい
- restaurant…レストラン
- make a reservation…予約をする
- treat…おごる、もてなす
- happened…happen「起きる」の過去形。
- late…おそい、遅刻した

Scene 22 飲みに行く
少し酔ったみたい

家におみやげを買っていった方がいいな。	I'd better buy a gift to take home.
一杯飲みたいな。	I need a drink.
今日はビール一杯だけにしておこう。	I'll just have a beer today.
このウイスキーは強いな。	This whiskey is strong.
飲みすぎちゃった。	I drank too much.
少し酔ったみたい。	I'm feeling a little tipsy.
私、お酒弱いのよね。	I get drunk easily.
私、お酒強いの。	I'm a heavy drinker.

Conversation

少し酔ったみたい。 I'm feeling a little tipsy.
家まで送ろうか？ Shall I take you home ?

飲みすぎちゃった。 I drank too much.
大丈夫？ Are you OK ?

Point

- I'd better〜 ; I should〜「〜した方がいい」と同様の表現ですが、I'd better〜の方がより強いニュアンスになります。
- I get drunk easily.：直訳では「私は簡単に酔っぱらう」となります。
- I'm a heavy drinker.：直訳では「私は大酒飲みです」となります。

Words

- [ ] take…持っていく
- [ ] drink…この場合はお酒のこと。
- [ ] strong…（お酒、コーヒーなどが）強い
- [ ] drank…この場合は drink「お酒を飲む」の過去形。
- [ ] tipsy…ほろ酔いの、千鳥足の
- [ ] get drunk…酔う
- [ ] heavy drinker…大酒飲み

Scene 23 ショッピング(1)
ウインドウショッピングにでも行こうっと

CD▶12

（値段が）高すぎるわ。	That's too expensive.
お買い得だわ。	That's a real bargain.
安いわね。	That's cheap.
ウインドウショッピングにでも行こうっと。	I'll go window-shopping.
すごい人ごみだ。	It's very crowded.
どれを買うか決まらないわ。	I can't decide what to get.
どっちがいいかな？	Which is better?
ふたつとも欲しいな。	I want both of them.

Conversation

😊 これは200ドルです。　　　This one is 200 dollars.
😊 お買い得ね。　　　　　　That's a real bargain.

😠 すごい人ごみね。　　　　It's very crowded.
😠 びっくりだね！　　　　　What a surprise!

Point

- real bargain；品物の良さに比べて値段が安くお買い得という意味。real は「本物の」bargain は「安い買い物」の意。
- It's very crowded.；直訳では「すごく混雑している」という意味。

Words

- [ ] expensive…（値段が）高い
- [ ] cheap…安い
- [ ] window-shopping…ウインドウショッピング
- [ ] decide…決める、決心する
- [ ] get…この場合は「買う」という意味。
- [ ] better…good の比較級で「より良い」という意味。
- [ ] want…欲しい
- [ ] both of them…両方とも

Scene 24 ショッピング(2) このスーツはピッタリだわ

このパンツ、私にピッタリだわ。	These pants fit me.
このスーツはピッタリだわ。	This suit fits perfectly.
試着した方がいいわね。	I should try it on.
サイズを確認するのを忘れたわ。	I forgot to check my size.
この靴ステキ！	These shoes are great!
これどうかしら？	How does it look?
これ返品したいなあ。	I want to return this.
これ交換したいなあ。	I want to exchange this.

Conversation

サイズを確認するのを忘れたわ。	I forgot to check my size.
サイズはいくつ？	What's your size ?
これどうかしら？	How does it look ?
よく似合ってるよ。	It looks nice on you.

Point

- pants；常に複数形をとります。
- How does it look ?；「似合うかしら？」という意味を含んでいます。

Words

- [ ] fit…合う、似合う
- [ ] suit…スーツ
- [ ] perfectly…完全に、申し分なく
- [ ] try on…試着する
- [ ] size…サイズ
- [ ] shoes…shoe「靴」の複数形。
- [ ] return…返品する
- [ ] exchange…交換する

Scene 25 サイズについて
私には大きすぎるわ

> Is it too plain for me?
> 私には地味かしら?

> I don't think so…
> そうは思わないけど…

私には地味かしら？	Is it too plain for me?
私には小さすぎるわ。	It's too small for me.
私には大きすぎるわ。	It's too big for me.
きついわ。	It's too tight.
ちょっときついわ。	It's a little bit tight.
派手だわ。	It's too flashy.
長すぎるわ。	It's too long.
短すぎるわ。	It's too short.

Conversation

ちょっときついわ。　　It's a little bit tight.
太ったの？　　　　　　Have you put on weight?

派手だよ。　　　　　　It's too flashy.
そう思う？　　　　　　Do you think so?

Point

- too：「〜すぎる」という意味。
- for me：「私には、私にとって」という意味。

Words

- plain…地味な、飾りのない、彩色のない
- small…小さい
- big…大きい
- tight…きつい、窮屈な
- a little bit…少し、ちょっと
- flashy…派手な、華美な、ケバケバしい
- long…長い
- short…短い
- put on weight…体重が増える　weight は「体重」の意。
- think…思う、考える

Scene 26 レストランで
デザートは別腹なの

デザートは別腹なの。	I always have room for dessert.
ケーキは太るわね。	Cake is fattening.
お洒落して行こうっと。	I'll get dressed up.
カードを持って行った方がいいかな。	I'd better get my credit card.
値段は手頃だわ。	The price is affordable.
どれもおいしそうね。	They all look good.
思ったよりおいしいわ。	It's better than I expected.
サービスは悪いわね。	The service is terrible.

Conversation

なんか物足りないな。 There isn't enough.
ケーキは太るよ。 Cake is fattening.

思ったよりおいしいね。 It's better than I expected.
すごくおいしいよ。 It's very delicious.

Point

- I always have room for dessert.；直訳では「デザートのための場所はいつでもある」となります。room は「場所、余裕」の意。
- than I expected；「予想、期待したより～」という言い方。

Words

- [ ] fat…（この場合は動詞で）太らせる
- [ ] dress up…お洒落をする、正装する
- [ ] credit card…クレジットカード
- [ ] price…値段
- [ ] affordable…お手頃な値段の
- [ ] look…（～のように）見える
- [ ] service…サービス
- [ ] terrible…ひどい

Scene 27 支払いをする
ボーナス一括払いにしよう

CD‣14

> Oh! I left my credit card at home!
> あっ！家にクレジットカードを忘れてきた！

> No kidding!
> 冗談やめてよ～！

家にクレジットカードを忘れてきたわ。	I left my credit card at home.
これをください。	I'll take this.
どこで払うのかな？	Where should I pay?
現金で払おう。	I'll pay in cash.
クレジットカードで払った方がいいな。	I should pay by credit card.
分割払いにしよう。	I'll pay in installments.
ボーナス払いにしよう。	I'll pay for it out of my bonus.
手持ちのお金がないわ。	I don't have any cash on hand.

Conversation

😀 どこで払うのかな？ — Where should I pay?
😊 あそこにレジがあるよ。 — There's a cashier there.

😀 分割払いにします。 — I'll pay in installments.
😊 かしこまりました。 — All right, sir.

Point

- I'll take this. ：買い物で「これにします、これをください」というときのきまり表現。
- out of my bonus ：「ボーナスから（払う）」という意味。out of は「～の中から」の意。

Words

- [ ] left…leave「置き忘れる」の過去形。
- [ ] credit card…クレジットカード
- [ ] at home…家に
- [ ] pay…支払う
- [ ] in installments…分割で
- [ ] cash…現金
- [ ] on hand…持ち合わせて
- [ ] sir…男性に対する敬称のことば

Scene 28 銀行で
お金をおろさなきゃ

銀行口座にもうお金がないわ。	There's no more money in my bank account.
お金をおろさなきゃ。	I have to withdraw some money.
暗証番号は...	My PIN is....
ATMはどこだ？	Where's an ATM?
銀行口座の残高を調べなきゃ。	I have to check the balance of my bank account.
定期に3万円入れよう。	I'll put 30000 yen into a CD account.
オフィスに通帳を忘れてきた。	I left my bankbook in my office.
銀行は何時に閉まるんだ？	What time does the bank close?

Conversation

👦 オフィスに通帳を忘れてきちゃった。

I left my bankbook in my office.

👧 勘弁してよね〜

Give me a break.

👦 銀行は何時に閉まるんだ？

What time does the bank close?

👧 3時よ。

At 3:00.

Point

- PIN：Personal Identification Number 暗証番号
- ATM：Automated Teller Machine 自動現金支払い機
- CD：certificate of deposit「預金証明書」という意味で、「預金証明書が出る預金」という意味で「定期預金」のことを指します。

Words

- [ ] account…口座　bank account で「銀行口座」のこと。
- [ ] withdraw…（預金などを）おろす、引き出す
- [ ] check…確認する、調べる
- [ ] balance…残高
- [ ] put into…ここでは「入金する」の意。
- [ ] passbook…通帳

Scene 29 郵便局で
速達で送った方がいいかな

CD▶15

> Oh! I've forgotten to put the letter into the mailbox!
> あっ！手紙を投函するの忘れてる！

> When did you write it?
> いつ書いたの？

手紙を投函するのを忘れてるわ。	I've forgotten to put my letter into the mailbox.
はがきを買わなきゃ。	I have to buy some postcards.
80円切手を2枚買わなきゃ。	I have to buy two 80-yen stamps.
ロンドンまでどれくらいかかるかな？	How long will it take to get to London?
この小包は航空便で送った方がいいな。	I'd better send this package by air mail.
速達で送った方がいいな。	I'd better send this by express.
書き留めで送った方がいいな。	I'd better send this by registered mail.
この手紙の送料はいくらかかるかな？	What is the postage for this letter?

Conversation

😟 ロンドンまでどれくらいかかりますか？

How long will it take to get to London?

😊 一週間ほどです。

About a week.

😟 この手紙の送料はいくらですか？

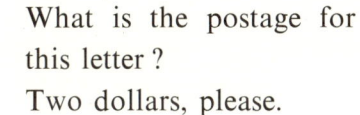

What is the postage for this letter?

😊 2ドルになります。

Two dollars, please.

Point

- How long will it take；「時間がどれくらいかかるか」という意味。
- by air mail；「航空便で」という意味。「船便で」は by surface.

Words

- [ ] mailbox…ポスト
- [ ] postcard…はがき
- [ ] stamp…切手
- [ ] get…ここでは「〜へ着く」という意味。
- [ ] package…小包
- [ ] express…express mail「速達」の省略。
- [ ] registered…registered mail「書き留め」の省略。
- [ ] postage…郵便料金

Scene 30 帰り道
コンビニに寄っていこう

パチンコしたいな。	I want to play pachinko.
本屋へ寄っていこう。	I'll stop at the bookstore.
スーパーに寄っていかなきゃ。	I need to stop at the supermarket.
コンビニに寄っていこう。	I'll stop at the convenience store.
デパートに寄りたいな。	I want to stop at the department store.
もう閉まっちゃったかなあ。	I wonder if it's closed now.
ぎりぎり間に合った。	I made it just in time.
帰りに一杯やっていきたいなあ。	I want to stop for a drink on the way home.

Conversation

😊 デパートに寄りたいな。   I want to stop at the department store.

😠 何を買うの？   What are you going to buy?

😊 帰りに一杯やっていきたいなあ。   I want to stop for a drink on the way home.

😠 もう帰った方がいいよ。   You'd better go home now.

Point

- made it；make it で「間に合う」の意。
- on the way home；「家までの道」すなわち「帰り道」のこと。

Words

- [ ] play pachinko…パチンコをする
- [ ] stop at…〜に寄る
- [ ] bookstore…本屋、書店
- [ ] supermarket…スーパーマーケット
- [ ] convenience store…コンビニエンスストア
- [ ] department store…デパート
- [ ] just before…ちょっと前に
- [ ] drink…一杯、飲酒

Scene 31 帰宅時
今日はメッセージなしだな

今夜は料理したくないな。	I don't want to cook tonight.
かぎ穴はどこだ？	Where's the keyhole?
電気がつかないぞ。	The light won't come on.
家はいいなあ。	It's good to be home.
足が棒のようだ。	My feet are so tired.
死にそうだ。	I'm dying.
今日はメッセージはないな。	No messages today.
うがいを忘れた。	I forgot to gargle.

Conversation

電気がつかないぞ。　　　　　The light won't come on.
早く何とかしてよ。　　　　　Do something quickly.

足が棒のようだ。　　　　　　My feet are so tired.
お風呂に入ったら？　　　　　Why don't you take a bath?

Point

- come on；ここでは「(電気が) つく」という意味で使われています。turn on「つける」としっかり区別しましょう。
- No messages today.；文頭の There's が省略された形。

Words

- [ ] cook…料理をする
- [ ] tonight…今夜、今晩
- [ ] keyhole…鍵穴
- [ ] light…電気
- [ ] home…家庭、家
- [ ] tired…疲れた
- [ ] feet…foot「足」の複数形
- [ ] dying…形容詞で「死にかかっている、死にそうな」。
- [ ] gargle…うがいをする

Scene 32 入浴
お風呂わかそうかな

体重が増えちゃった。	I've gained weight.
お風呂わかそうかな。	I'll fix the bath.
いい湯だなあ。	The hot water feels great.
寝てしまいそうだ。	I'm going to fall asleep.
シャワー浴びてくる。	I'm going to take a shower.
せっけんが目にしみる。	Soap stings my eyes.
さてと、出ようかな。	Now, I'll get out.
お風呂からあがったら爪を切らなきゃ。	I have to cut my nails after taking a bath.

Conversation

シャワー浴びてくる。	I'm going to take a shower.
お風呂わいてるわよ。	The bath is ready.
せっけんが目にしみる。	Soap stings my eyes.
目を洗った方がいいよ。	You'd better wash your eyes.

Point

- fix the bath；直訳では「風呂の準備をする」。
- The hot water feels great.；直訳では「お湯はすごく気持ちがいい」となります。

Words

- [ ] gain…増す
- [ ] weight…体重
- [ ] fall asleep…寝入る
- [ ] take a shower…シャワーを浴びる
- [ ] sting…ひりひりさせる、刺激する
- [ ] get out…（～から）出る
- [ ] nail…爪
- [ ] take a bath…風呂に入る

Scene 33 テレビ
サッカーの試合でも見よう

CD-17

> The TV isn't working well.
> It's time to get a new TV.
> テレビの映りが悪いな〜
> 新しいテレビの買い時だな…

テレビの映りが悪いな。	The TV isn't working well.
新しいテレビの買い時だな。	It's time to get a new TV.
今夜は映画でも見よう。	I'm going to watch a movie tonight.
今夜は何かいい番組があるかな？	Any good programs tonight ?
サッカーの試合、終わっちゃったかなあ。	I wonder if the soccer game is over.
スポーツニュースを見よう。	I'll watch the sports news.
始まったとこだな。	It's just begun.
リモコンはどこだ？	Where's the remote control ?

Conversation

スポーツニュースを見よっと。	I'll watch the sports news.
今このドラマ見てるの。	I'm watching this drama now.
いつ始まるの？	When does it begin?
始まったとこだよ。	It's just begun.

Point

- The TV isn't working well.；直訳では「テレビがうまく働かない」となります。
- It's time to〜；「〜する時期だ、〜する時間だ」の意。
- Any good programs tonight?；文頭に Are there が省略された形。

Words

- [ ] movie…映画
- [ ] program…番組
- [ ] soccer game…サッカーの試合
- [ ] over…終わって
- [ ] sports news…スポーツニュース
- [ ] just…たった今、ちょうど
- [ ] begun…begin（始まる）の過去分詞。
- [ ] remote control…（テレビなどの）リモコン

Scene 34 くつろぎタイム
顔のパックをしよう

化粧を落とそう。	I'll wash off my make-up.
顔のパックをしよう。	I'll put on a facial pack.
ビールが飲みたくて死にそう。	I'm dying for a beer.
夕刊はどこだ？	Where's the evening paper?
CDをかけよう。	I'll play the CD.
寝酒を飲もう。	I'll have a nightcap.
ベッドに入ろう。	I'll get into bed.
目覚ましセットしたっけ？	Did I set the alarm?

Conversation

😀 夕刊はどこだ？ Where's the evening paper?

😊 テーブルの下だよ。 Under the table.

😀 目覚ましセットしたっけ？ Did I set the alarm?
😊 私がしたわよ。 I did.

Point

- wash off；直訳では「洗い流す」となります。
- I'm dying for〜：「〜が欲しくてたまらない」という表現。

Words

- [ ] put on…（パックなどを）する、身につける
- [ ] facial pack…顔のパック
- [ ] make-up…メーキャップ
- [ ] play…（CDなどを）かける
- [ ] CD…compact disk の省略。
- [ ] nightcap…寝酒
- [ ] get into…〜に入る
- [ ] bed…ベッド
- [ ] set…（目覚ましなどを）セットする
- [ ] alarm…alarm clock の省略。

Scene 35 休日(1)
USJ に行きたいな

CD▶18

> I'm bored.
> 退屈だな〜

> Why don't you study English?
> 英語の勉強でもしたら？

退屈だな。	I'm bored.
今日はデートだ。	I have a date today.
美容院に行こう。	I'll go to a beauty shop.
映画にでも行こうかなあ。	Maybe, I'll go to a movie.
競馬に行こう。	I'll go to the horse races.
ゴルフに行こっと。	I'm going to play golf.
温泉にでも行きたいなあ。	I want to go to a hot spring resort.
USJ に行きたいな。	I want to go to USJ.

Conversation

😊 ゴルフに行ってくる。　　I'm going to play golf.
😠 誰と行くの？　　　　　　Who are you going with ?

😊 USJに行きたいなあ。　　I want to go to USJ.
😊 今から行こうか？　　　　Shall we go now ?

Point

- Maybe〜：自分が言いたいことの前につけて「〜かなあ、〜かしら？」という表現になります。
- I'm going to〜：「これから〜するつもり、〜する予定だ」というように近い未来を表現することができます。

Words

- [ ] bore…退屈させる
- [ ] have a date…デートをする
- [ ] beauty shop…美容院
- [ ] horse races…競馬
- [ ] golf…ゴルフ
- [ ] hot spring…温泉
- [ ] resort…リゾート
- [ ] USJ…ユニバーサル・スタジオ・ジャパン

Scene 36 休日(2)
飛行機のチケットを取らなきゃ

> I have to apply for a passport.
> パスポートの申請をしなくちゃ。

> What? We're going to Okinawa.
> えっ？？行くのは沖縄だよ。

パスポートの申請をしなくちゃ。	I have to apply for a passport.
沖縄に行きたいな。	I want to go to Okinawa.
飛行機のチケットを取らなきゃ。	I have to get an airline ticket.
チケットを受け取りにいかなきゃ。	I have to go to pick up my ticket.
レインコート持ったっけ？	Have I got my raincoat?
デジカメを持って行こう。	I'll take my digital camera.
保険証を持って行った方がいいな。	I'd better take my insurance card.
準備OKだ。	I'm all ready.

Conversation

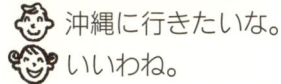

沖縄に行きたいな。 I want to go to Okinawa.
いいわね。 Sounds good.

デジカメを持って行こう。 I'll take my digital camera.

いつ買ったの？ When did you get it?

Point

- Have I got～；相手に対して「～を持った？」とたずねるときはHave you got～?という言い方になります。Have＋動詞の過去分詞で「～を持って、今現在も～を持っている」という継続した状態を表現することができます。

Words

- [ ] apply for…申請する、申し込みをする
- [ ] get…この場合は（チケットなどを）「取る」という意味。
- [ ] airline ticket…飛行機のチケット
- [ ] pick up…受け取る
- [ ] digital camera…デジカメ
- [ ] take…持って行く
- [ ] insurance card…保険証
- [ ] ready…準備のできた、用意のできた

Scene 37 旅先で
道に迷っちゃった

CD▶19

> Oh, no! I locked myself out!
> いけね！締め出されちゃったよ！

締め出されちゃった。	I locked myself out.
靴ずれができちゃった。	I've got a blister.
筋肉痛だ。	I have a muscle ache.
道に迷っちゃった。	I'm lost.
子供達が車に酔っちゃった。	The kids got carsick.
となりの部屋がうるさいなあ。	The room next door is noisy.
眠れないよ。	I can't sleep.
お湯が出ないぞ。	There's no hot water.

Conversation

どうかした？	What's wrong?
靴ずれができちゃったの。	I've got a blister.
お湯が出ないんですが。	There's no hot water.
ルームナンバーをお願いします。	Your room number, please.

Point

- I locked myself out.；直訳では「自分が自分を締め出した」となるので、他の人に締め出されたときは使いません。
- I'm lost.；「道に迷った」というときのきまり表現。

Words

- [ ] blister…水ぶくれ
- [ ] muscle ache…筋肉痛　muscleは「筋肉」acheは「痛み」。
- [ ] get lost…道に迷う
- [ ] kids…kid「(俗語で) 子供」の複数形。
- [ ] carsick…車酔い
- [ ] the room next door…となりの部屋
- [ ] noisy…騒がしい、うるさい
- [ ] sleep…眠る
- [ ] hot water…お湯

Scene 38 四季
桜が満開だ

「ひとりで？」

I'll make nabe today!
今日は鍋にしよう！

今日は鍋にしよう。	I'll make nabe today.
こたつに入ろう。	I'll sit under the Kotatsu.
クリスマスのイルミネーションがきれいだなあ。	The Christmas lights are beautiful.
桜が満開だ。	The cherry blossoms are in full bloom.
梅雨だなあ。	It's the rainy season.
今年の梅雨は長いなあ。	The rainy season is long this year.
台風が来るぞ。	The typhoon is approaching.
紅葉狩りに行こう。	I'll go to see the colorful autumn leaves.

Conversation

- 桜が満開だ。 — The cherry blossoms are in full bloom.
- 素敵ね！ — Fantastic!
- 今年の梅雨は長いなあ。 — The rainy season is long this year.
- すごくムシムシするね。 — It's very humid.

Point

- make nabe；「鍋料理を作る」という意味。
- are in full bloom；be in full bloom で「満開である」の意。

Words

- [ ] sit…座る
- [ ] under…〜の下に
- [ ] Christmas lights…クリスマスのイルミネーション
- [ ] beautiful…美しい
- [ ] cherry blossoms…桜の花
- [ ] rainy season…梅雨時
- [ ] this year…今年
- [ ] typhoon…台風
- [ ] approach…近づく、接近する
- [ ] colorful autumn leaves…紅葉した木の葉

Scene 39 電話(1) まだ話し中だ

CD-20

> Oh, no! Keiko's calling!
> やばい！けいこから電話だ！

> Why don't you answer it?
> どうして出ないの？

けいこから電話だ。	Keiko's calling.
電話だ。	There's the phone.
友達に電話でもしよう。	I'll call my friend.
メアリーに電話するのを忘れてた。	I forgot to call Mary.
まだ話し中だ。	The line is still busy.
あとにしよう。	I'll try again later.
長いこと話し中だったね。	Your phone's been busy for hours.
メモ用紙はどこだ？	Where's the notepaper?

Conversation

長いこと話し中だったね。 　Your phone's been busy for hours.

ああ、ごめんなさいね。 　Oh, I'm sorry.

メモ用紙はどこだ？ 　Where's the notepaper?

知らないよ。 　I don't know.

Point

- Keiko's calling.；直訳では「けいこが電話をかけている」。
- The line is busy.；「話し中である」と言うときのきまり表現。
- I'll try again later.；「またあとで試してみよう」という意味なので電話以外の場面でも使えます。

Words

- [ ] phone…telephone「電話」の省略された形。
- [ ] friend…友達
- [ ] forgot…forget「忘れる」の過去形。
- [ ] call…電話をする
- [ ] still…まだ
- [ ] try…試す、試みる
- [ ] busy…この場合は「話し中」の意。
- [ ] for hours…この場合は「長い時間」の意。
- [ ] notepaper…メモ用紙

Scene 40 電話(2) メールだ

こんな朝早くに誰かな？	Who's calling this early?
番号間違ってないよね？	Did I dial the right number?
番号を間違えたみたいだ。	I must have misdialed.
エリが家にいるといいなあ。	I hope Eri is home.
電話が通じなくなったよ。	The phone went dead.
メールだ。	There's the e-mail.
メールをチェックするのを忘れてた。	I forgot to check the messages.
りょうにメールしなくちゃ。	I have to mail Ryo.

Conversation

| 番号間違ってないよね？ | Did I dial the right number? |
| だといいね。 | I hope so. |

| どうかした？ | What's the matter? |
| 電話が通じなくなったんだ。 | The phone went dead. |

Point

- this early；「こんなに（夜）遅く」は this late。
- Did I dial the right number?；直訳では「正しい番号をダイヤルしたよね？」となります。
- must have misdialed；must have＋misdial の過去分詞で「番号を間違えたに違いない」という表現になります。

Words

- [ ] call…電話をする
- [ ] dial…ダイヤルを回す
- [ ] went dead…この場合は「通じない」の意。
- [ ] e-mail…E メール
- [ ] check…確認する
- [ ] message…メッセージ
- [ ] mail…メールを送る

第2章
意思を伝える ひとこと

Scene 1 賛成・同意(1)
私はそれでいいわよ

CD‑21

いい考えね。	Good idea.
おもしろそうね。	Sounds like fun.
いいね！	Great!
いいですよ。	Fine.
私はそれでいいわよ。	That's fine with me.
私もそう思います。	I think so, too.
賛成です。	I agree.
それでけっこうです。	That's fair.

Conversation

😊 明日の晩はどう？　　　How's tomorrow night?
😊 私はそれでいいわよ。　That's fine with me.

😊 外へ遊びに行かない？　Why don't we go out?
😊 いいね！　　　　　　　Great!

Point

- Sounds like〜；「〜みたいね」という表現。
- Fine.；相手に対して異論がないときに使うひとこと。
- That's fair.；直訳では「それで公平ですね」となります。相手の意見や提案に対して「それでけっこうです」といったニュアンスで使われます。

Words

- [ ] idea…考え
- [ ] fun…おもしろさ、愉快さ
- [ ] think…考える、思う
- [ ] fine…良い
- [ ] agree…賛成する
- [ ] too…〜も
- [ ] fair…公平な
- [ ] go out…外へ遊びに行く

Scene 2 賛成・同意(2)
確かにそうよね

その通り。	That's right.
まったくその通り！	Absolutely!
確かにそうよね。	No doubt.
まったくその通りです。	You're quite right.
おそらくね。	Likely enough.
それでいいんじゃない？	It may be all right.
おもしろそうね。	Sounds interesting.
時間が許せばそうするわ。	If I get the time, I will.

Conversation

何か変だよね。 Something's strange.
確かにそうよね。 No doubt.

サッカーの試合を見に行かない？ Why don't we go to see a soccer game?
おもしろそうね。 Sounds interesting.

Point

- No doubt.；直訳では「疑いがない」となります。
- It may be all right.；直訳では「それでいいかも知れない」という肯定文になります。
- Sounds〜；「〜みたいね」というときのきまり表現。

Words

- [ ] right…正しい
- [ ] absolutely…まさにその通り
- [ ] quite…まったく
- [ ] interesting…興味深い、おもしろい
- [ ] get…（時間を）とる
- [ ] strange…変な、奇妙な
- [ ] soccer game…サッカーの試合

Scene 3 反対・否定(1)
納得できないよ

CD▶22

異議あり！	Objection!
やめておこうよ。	Let's not.
賛成できないな。	I can't agree.
そうは思わないな。	I don't think so.
無理だよ。	That's impossible.
不公平だよ。	It's not fair.
納得できないよ。	I can't buy that.
いい考えではないね。	That's not a good idea.

Conversation

どう思う？ What do you think?
無理だよ。 That's impossible.

納得できないわ。 I can't buy that.
もういいよ。 Forget it.

Point

- Let's not.；Let's〜.「〜しようよ」と誘われたとき「やめておこうよ」と断るときの言い方。
- I can't agree.；I don't agree.「賛成しません」よりソフトな表現になります。
- I can't buy that.；この場合の buy は「認める」という意味。

Words

- objection…異議、反対
- agree…賛成する
- think…考える、思う
- impossible…不可能な、ありえない
- fair…公平な
- idea…考え
- forget…忘れる

Scene 4 反対・否定(2)
まず無理だね

僕じゃないよ。	Not me.
まず無理だね。	Not a chance.
とんでもない。	Of course not.
一度もないよ。	No, never.
あなたは間違ってます。	You're wrong.
それは間違いです。	That's not right.
できません。	I can't make it.
やめておくわ。	I guess not.

Conversation

私の日記、読んだ？ Did you read my diary?
とんでもない。 Of course not.

イギリスに行ったことある？ Have you been to England?
一度もないよ。 No, never.

Point

- Not a chance.：直訳では「チャンスはないね」となります。
- That's not right.：直訳では「それは正しくない」となります。

Words

- [ ] me…私、僕
- [ ] never…決して〜ない
- [ ] wrong…間違い
- [ ] make it…うまくやる、成功する
- [ ] guess…思う
- [ ] read…読む
- [ ] diary…日記
- [ ] England…イギリス

Scene 5 Noと言わずに否定する(1)
そうしたいけど無理なの

CD▶23

I don't feel like it…
そういう気分じゃないんだ…

そういう気分じゃないんだ。	I don't feel like it.
そうしたいんだけど無理です。	I'd love to, but I can't.
やめておくわ。	I don't think so.
そうできればいいんだけど。	I wish I could.
残念だけど。	I'm sorry.
残念だけどできないわ。	I'm afraid I can't.
ありがとう、でもけっこうです。	Thanks but no thanks.
勘弁してよ！	Give me a break!

Conversation

遊びに来ない？
Won't you come over?

そうしたいんだけど無理なの。
I'd love to, but I can't.

ご一緒しない？
Would you like to join us?

残念だけどやめておきます。
I'm afraid I can't.

Point

- I wish I could.；仮定法を使った言い方で「～できたらなあ」と言うときのきまり表現。
- I'm sorry.；「ごめんなさい」だけではなく「残念です」という意味でも使います。
- Give me a break !；直訳では「休憩をちょうだい」となりますが「ちょっとまってよ、勘弁してよ」といったニュアンスで使われるきまり表現。

Words

- [ ] feel like…～したい気分である
- [ ] I'd love…I'd like～「～したい」と同じ。
- [ ] think…考える、思う
- [ ] come over…やって来る

Scene 6　Noと言わずに否定する(2)
話が違うよ

I haven't heard anything!
聞いてないよ～!

聞いてないよ～。	I haven't heard anything.
話が違うよ。	**That's a different story.**
面倒だなあ。	It's too much trouble.
時間の無駄だよ。	It's a waste of time.
約束があるの。	I have an appointment.
本当に忙しいの。	I'm really busy.
今手が離せないの。	**I'm busy right now.**
別の機会にしましょう。	Let's make it another time.

Conversation

明日はどう？ — How about tomorrow?
約束があるの。 — I have an appointment.

夕食を一緒にどう？ — How about having dinner with me?
またにしましょう。 — Let's make it another time.

Point

- That's a different story.；日本語で言う「話が違うよ」というニュアンスと同様に使われるきまり表現。
- I'm busy right now.；直訳では「私は今忙しい」となります。

Words

- heard…hear「聞く」の過去分詞。
- anything…何も
- different…違った、別の
- trouble…面倒
- waste…無駄使い、浪費
- appointment…約束
- really…本当に
- make…する、行う
- another time…別の機会

Scene 7 はっきり答えられない
何とも言えないわ

そうねえ…	Let me see....
多分ね。	Maybe.
そうかもね。	It could be.
でもねえ。	But.....
まだはっきりとは言えないわ。	I'm not sure yet.
何とも言えないわ。	I can't say.
努力はしてみるよ。	I'll try.
知らないわ。	I don't know.

Conversation

本当だと思う？ — Do you think it's true?
本当かもね。 — It could be.

今日は雨になるかなあ？ — Will it rain today?
何とも言えないわね。 — I can't say.

Point

- Let me see. ;「見せて」という意味でも使います。
- I'm not sure yet. ; 直訳では「まだ確かじゃない」となります。
- I'll try. ; 直訳では「試してみる」となります。

Words

- [ ] maybe…多分、おそらく
- [ ] sure…確かな
- [ ] yet…まだ
- [ ] try…試す
- [ ] know…知っている
- [ ] think…思う、考える
- [ ] true…真実の、本当の
- [ ] rain…雨が降る
- [ ] today…今日、今日は

Scene 8 返事を先延ばしにする
考えなおしてみる

それは難しい問題ね。	That's a difficult problem.
考えさせて。	Let me think.
考えておくわ。	I'll think about it.
考えなおしてみる。	I'll think it over.
一晩考えさせて。	Let me sleep on it.
時間をちょうだい。	Give me some time.
決心がつかないの。	I haven't made up my mind.
上司に聞いてみます。	I'll ask my boss.

Conversation

- 私の考えどうかしら？ How about my idea?
- 一晩考えさせて。 Let me sleep on it.

- やってみれば？ Why don't you try?
- 決心がつかないの。 I haven't made up my mind.

Point

- sleep on〜；「〜を一晩寝て考える、〜を明日まで延ばす」という意味。
- made up my mind；make up my mind で「決心する」という意味。made はこの場合、make の過去分詞。

Words

- difficult…難しい
- problem…問題
- think over…考えなおす
- give…与える
- ask…たずねる
- boss…上司
- idea…考え、アイデア

Scene 9 理由を聞く
なぜなのか言って

CD-25

> Explain it to me!
> 説明してよ！

説明してよ。	Explain it to me.
なぜなのか言って。	Tell me why.
どうして？	Why?
どうしてダメなの？	Why not?
どうしてそうなったの？	How did it happen?
どうしてそう思うの？	What makes you think that?
どうしてこんなことするの？	Why are you doing this?
どうしてここにいるの？	Why are you here?

Conversation

どうしてダメなの？	Why not?
どうしても！	Because!
どうしてここにいるの？	Why are you here?
関係ないでしょ。	None of your business.

Point

- Why not?：これ以外に「もちろんいいよ（どうしてダメなことがあるものですか）」といった意味でもよく使われるフレーズです。
- What makes you think that?：直訳では「何があなたにそう考えさせたのか？」となります。

Words

- [ ] explain…説明する
- [ ] tell…言う、教える
- [ ] how…どんなふうに
- [ ] happen…起きる
- [ ] do…する
- [ ] this…ここでは「こんなこと」という意味。
- [ ] here…ここに

Scene 10 相手の考えを聞く
どう思う?

何か不満でも？	Any complaints ?
何が不満なの？	What's your complaint ?
どう思う？	What do you think ?
そう思わない？	Don't you think so ?
あなたはどう？	How about you ?
これはどう？	How about this ?
あなたの意見は？	What's your opinion ?
お勧めはどれ？	What do you recommend ?

Conversation

😊 あなたの意見は？ — What's your opinion?
😊 それでいいと思います。 — I think it's all right.

😊 お勧めはどれ？ — What do you recommend?

😊 そうねえ… — Let me see....

Point

- Any complaints？：フレーズの前に Do you have が省略された形。
- How about〜：「〜はどう？」「〜はいかが？」とたずねるときのきまり表現。

Words

- [ ] complaint…不平、不満
- [ ] think…思う、考える
- [ ] so…そんなふうに、そのように
- [ ] your…あなたの
- [ ] opinion…意見
- [ ] recommend…勧める
- [ ] all right…申し分ない、大丈夫で

Scene 11 相手が理解したかどうか聞く
はっきりわかった？

CD▶26

> Are you listening to me?
> 聞いてる？

> Yes, I am.
> 聞いてるよ。

聞いてる？	Are you listening to me ?
はっきりわかった？	Is that clear ?
わかった？	Do you understand ?
私の言ってることわかった？	Do you know what I mean ?
聞こえた？	Did you hear me ?
わかった？	Got it ?
わかった？	You see ?
ねっ？	See ?

Conversation

わかった？ Do you understand?
わかったよ。 Yes, I do.

はっきりわかった？ Is that clear?
多分。 I think so.

Point

- Is that clear?；直訳では「それは明白になったか？」となります。
- what I mean；「私が言っていること」という意味。
- Got it?；Have you got it? の Have you が省略された形。
- You see?；Did you see? の Did が省略された形。
- See?；「ねっそうでしょ？」といったニュアンスで使われます。

Words

- listen…聞く
- clear…はっきりした、明白な
- understand…理解する
- hear…聞こえる
- got…get の過去分詞、ここでは「理解する」という意味。
- think…考える、思う

Scene 12 許可を求める
タバコを吸ってもいい？

寝てもいい？	May I sleep ?
入ってもいい？	May I come in ?
これを借りて行ってもいい？	May I borrow this ?
電話を借りてもいい？	May I use your phone ?
窓を開けてもいい？	Can I open the window ?
テレビを見てもいい？	Can I watch TV ?
一個食べてもいい？	Can I eat one ?
タバコを吸ってもいい？	Do you mind if I smoke ?

Conversation

入ってもいい？ May I come in?
はい、どうぞ。 Yes, please.

テレビを見てもいい？ Can I watch TV?
何かおもしろいものある？ Anything good on?

Point

- May I use your phone?：日本語訳では「借りる」となっていますが、borrow「借りる」には「借りて持っていく」という意味があるので、電話やトイレを借りる場合にはuse「使う」を使います。注意しましょう。
- Do you mind if I smoke?：「タバコを吸ってもいいですか？」と言うときのきまり表現ですが、直訳では「私がタバコを吸っても気にしませんか？」となります。したがって答えるときは気をつける必要があります。

Q. Do you mind if I smoke? タバコを吸ってもいいですか？
A. No, I don't mind. いいですよ。(いいえ、気にしません。)

Words

- [ ] come in…（中に）入る
- [ ] watch TV…テレビを見る
- [ ] smoke…タバコを吸う

Scene 13 許可をする
私はそれでいいですよ

CD-27

いいですよ。	That's OK.
それでけっこうです。	That's fair.
私はそれでいいですよ。	That's fine with me.
いいですとも。	Why not ?
あなたがよければ。	If you like.
あなたがそう言うなら。	If you say so.
あなたがどうしてもって言うなら。	Okay if you insist.
ご自由に。	As you like.

Conversation

明日はどう？ — How's tomorrow?
私はそれでいいですよ。 — That's fine with me.

遊びに行こうよ。 — Let's go out.
いいよ！ — Why not?

Point

- That's fair.；意見や提案に対する返答を求められたときなどに答える言い方です。
- Why not？：「どうしてダメなことがあるものですか」という意味から「もちろんいいよ」といったニュアンスで使われます。
- As you like.；直訳では「あなたのお好きなように」となります。

Words

- [ ] fair…公平な
- [ ] fine…良い
- [ ] say…言う
- [ ] insist…主張する
- [ ] as…〜のように
- [ ] tomorrow…明日
- [ ] go out…遊びに行く

Scene 14 依頼
メルアド(Eメールのアドレス)教えてくれる?

お金貸してくれる？	May I borrow some money ?
メルアド（Eメールのアドレス）教えてくれる？	May I have your e-mail address ?
電話番号を教えてくれる？	May I have your phone number ?
ちょっと話してもいい？	Can I talk to you ?
今晩残業できる？	Can you work overtime tonight ?
これ使ってもいい？	Can I use this ?
コーヒーいれてくれる？	Will you make me coffee ?
手伝って。	Help me.

Conversation

ちょっと話してもいい？ — Can I talk to you?
ごめん、今忙しいんだ。 — Sorry, I'm busy now.

今晩残業できる？ — Can you work overtime tonight?
できればいいんだけど。 — I wish I could.

Point

- May I borrow some money?：直訳では「お金を借りてもいいですか？」となります。
- May I have〜；「〜をお聞きしてもいいですか？」という表現。
- Can I talk to you?；「ちょっと話していい？」といった軽いニュアンスで使われます。
- Will you〜；「〜してくれますか？」という言い方。

Words

- [ ] borrow…借りる
- [ ] e-mail address…E メールアドレス
- [ ] phone number…電話番号
- [ ] talk…話す
- [ ] work overtime…残業する
- [ ] make…（コーヒーなどを）いれる

Scene 15 注意
車に気をつけて

いいかげんにして。	That's enough.
危ない！	Watch out!
足元に気をつけて。	Watch your step!
車に気をつけて。	Watch for cars.
口のきき方に気をつけなさい。	Watch your tongue.
彼には用心しなさい。	Watch out for him.
真面目に！	Be serious!
もっと気をつけなさい。	Be more careful.

Conversation

車に気をつけて。 Watch for cars.
わかった！ OK!

彼には用心しなさい。 Watch out for him.
どうしてそんなこと言うの？ Why do you say so?

Point

- That's enough.；普通の言い方では「十分です」となります。
- Watch out!；同意語に Look out! があります。
- Watch your tongue.；直訳では「あなたの舌を見なさい」となります。

Words

- [ ] enough…十分な
- [ ] watch…見る
- [ ] watch out…警戒する
- [ ] step…ここでは「足元」の意。
- [ ] tongue…舌
- [ ] serious…まじめな、本気の
- [ ] more…もっと
- [ ] careful…注意深い、用心深い

Scene 16 制止
邪魔しないで

> Don't step on it!
> 踏まないで〜!

踏まないで。	Don't step on it.
邪魔しないで。	Don't interrupt.
それにさわらないで。	Don't touch it.
ばかなことしないで。	Don't be silly.
押さないで。	Don't push me.
私をあてにしないで。	Don't count on me.
自分勝手なこと言わないで。	Don't be selfish.
静かに!	Be quiet!

Conversation

それにさわらないで。	Don't touch it.
これ何なの？	What's this?
押さないでよ。	Don't push me.
僕じゃないよ！	It's not me!

Point

- Don't touch it.：物ではなく「私に触らないで」と言いたい場合は Don't touch me. となります。
- Don't be silly.：直訳では「愚かにならないで」となります。
- Don't be selfish.：直訳では「わがままにならないで」となります。

Words

- [ ] step on…足で踏む
- [ ] touch…触る
- [ ] silly…愚かな、ばかげた
- [ ] push…押す
- [ ] count on…あてにする、頼る
- [ ] selfish…わがままな、利己的な
- [ ] quiet…静かな

Scene 17 警告(1)
よく考えて行動しなさい

年を考えてよ。	Act your age.
よく考えて行動しなさい。	Think twice before you do it.
場所がらをわきまえなさい。	Think about where you are.
冷静になってよく考えなさい。	Calm down and think carefully.
念には念を入れてね。	You can't be too careful.
規則に従いなさい。	Follow the rules.
信用しちゃダメよ。	Don't trust it.
今にわかるよ。	You'll see.

Conversation

冷静になってよく考えなさい。	Calm down and think carefully
よく考えたよ。	I did.
彼が利己的だとは思わないけど。	I don't think he is selfish.
今にわかるよ。	You'll see.

Point

- Act your age.：直訳では「年齢相応にふるまいなさい」となります。
- Think twice before you do it.：直訳では「それをする前に二度考えなさい」となります。
- Think about where you are.：直訳では「あなたがいる場所を考えなさい」となります。
- You can't be too careful.：直訳では「いくら注意しても注意しすぎることはない」となります。

Words

- [ ] act…ふるまう
- [ ] twice…二度
- [ ] calm down…冷静になる、落ち着く
- [ ] follow…従う
- [ ] trust…信用する、信頼する

Scene 18 警告(2)
虫歯になっちゃうよ

You might put on weight……
太るぞ〜……

太るわよ。	You might put on weight.
虫歯になっちゃうよ。	You might get a cavity.
風邪ひくよ。	You might catch a cold.
すべるわよ。	You might slip.
けがするわよ。	You might get hurt.
手をつめるよ。	You might pinch your hand.
迷子になっちゃうよ。	You might get lost.
お腹が痛くなるよ。	You might get a stomach-ache.

Conversation

もっと食べてもいい？	Can I eat more?
虫歯になっちゃうよ。	You might get a cavity.
太るわよ。	You might put on weight.
ほっといてよ。	Leave me alone.

Point

- You might〜；直訳では「あなたは〜するかも知れない」となりますが日常会話では「〜してしまうよ」という表現でよく使われます。「〜してしまうから気をつけて」という気持ちが含まれています。

Words

- cavity…虫歯の穴
- put on…（体重などを）増す
- weight…体重
- catch a cold…風邪をひく
- get hurt…けがをする
- pinch…つめる
- get lost…迷子になる
- stomachache…胃痛、腹痛

Scene 19 さとす
仲直りしなさい

CD‣30

> It's natural for me to get angry…
> 私が怒るのも当然でしょ…

私が怒るのも当然でしょ。	It's natural for me to get angry.
メアリーにあやまりなさい。	Apologize to Mary.
仲直りしなさい。	Be friends.
信用しちゃダメよ。	Don't trust it.
しっかりしなさい。	Trust yourself.
自尊心を持ちなさい。	Respect yourself.
自分でやりなさい。	Do it yourself.
話を聞きなさい。	Listen to me.

Conversation

仲直りしなさい。	Be friends.
いやだ〜！	Nope!
信用しちゃダメよ。	Don't trust it.
そうは思わないけど。	I don't think so.

Point

- It's natural for 〜 to.... ;「〜が…するのは当然である」という言い方。
- Be friends.；直訳では「友達であれ」となります。
- Trust yourself.；直訳では「自分自身を信頼しなさい」となります。
- Respect yourself.；直訳では「自分自身を尊重しなさい」となります。

Words

- [ ] get angry…怒る、腹をたてる
- [ ] apologize…謝る、謝罪する
- [ ] trust…信用する、信頼する
- [ ] respect…尊敬する、尊重する
- [ ] listen…聞く

Scene 20 誤解を解く
誤解しないで

> Let me explain....
> 説明させてよ....

説明させてよ。	Let me explain.
誤解しないで。	Don't get me wrong.
君は誤解してるよ。	You got it wrong.
早とちりしないで。	Don't jump to conclusions.
私が言ったことを誤解しないで。	Don't misunderstand what I say.
お願い、わかって。	Please understand.
あなたの聞き違いよ。	You heard wrong.
どうしようもなかったの。	I couldn't help it.

Conversation

君の責任だよ。 You're to blame.
君は誤解してるよ。 You got it wrong.

どうしてそんなことしたの？ Why did you do that?
どうしようもなかったのよ。 I couldn't help it.

Point

- Let me〜：「〜させて」という言い方。
- jump to conclusions：直訳では「結論に飛ぶ」という意味。
- You heard wrong.：直訳では「あなたは間違って聞いた」となります。
- I couldn't help it.：直訳では「助けることができなかった」となりますが「どうしようもなかった」と言うときのきまり表現。

Words

- [ ] explain…説明する
- [ ] get wrong…誤解する
- [ ] misunderstand…誤解する、考え違いする
- [ ] understand…理解する
- [ ] wrong…間違って、誤って
- [ ] be to blame…責めを負うべきである

Scene 21 決心する
決心したよ

CD-31

> It's great.
> すごいね

> I'm determined to give up smoking.
> タバコをやめる決心をしたんだ。

タバコをやめる決心をしたんだ。	I'm determined to give up smoking.
決心したよ。	I made up my mind.
メアリーと結婚することにしたんだ。	I made up my mind to get married with Mary.
引っ越すことにしたんだ。	I decided to move.
必ずやります。	I'm sure I can do it.
たとえ何があってもやります。	I'll do it no matter what.
どんなことがあってもやめないよ。	Nothing can stop me.
乗り切ってみせるよ。	I'll survive.

Conversation

- 引っ越すことにしたんだ。 I decided to move.
- どこへ？ Where to?

- できるの？ Can you do it?
- 必ずやります。 I'm sure I can do it.

Point

- I made up my mind.：make up one's mind で「決心する、決意する」の意。
- I'm sure I can do it.：直訳では「確実にそれをすることができる」となります。
- no matter what；「何が起ころうとも」という意味。
- Nothing can stop me.；直訳では「何も私を止められない」となります。

Words

- determine…決心する、決定する
- give up…やめる
- get married…結婚する
- decide…決める
- move…引っ越す、転居する
- survive…乗り切る、生き延びる

Scene 22 言い訳をする
そんなつもりじゃなかったんだ

> You're late again!
> また遅刻だぞ！

> The alarm clock didn't ring...
> 目覚まし時計が鳴らなくて‥

目覚まし時計が鳴らなくて。	The alarm clock didn't ring.
電車に乗り遅れてしまって。	I missed my train.
昨日はすごく忙しかったんだ。	I was very busy yesterday.
時間がなかったんだ。	I didn't have enough time.
夕べよく眠れなかったんだ。	I couldn't sleep well last night.
できる限りのことはしたわ。	I did all I could do.
そんなつもりで言ってないよ。	I don't mean that.
そんなつもりじゃなかったんだ。	I didn't mean that.

Conversation

😀 ようやくお目覚め? You finally got up!
😟 夕べよく眠れなかったんだ。 I couldn't sleep well last night.

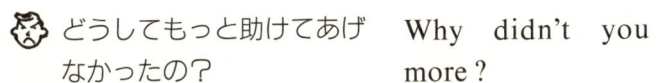

😠 どうしてもっと助けてあげなかったの? Why didn't you help more?
😣 できる限りのことはしたわ。 I did all I could do.

Point

● my train：「私が乗る予定だった電車」という意味。
● I did all I could do.：直訳では「できることは全部した」の意。

Words

- [ ] alarm clock…目覚まし時計
- [ ] ring…鳴る
- [ ] miss…この場合は「取り逃す＝（電車に）乗り遅れる」の意。
- [ ] busy…忙しい
- [ ] yesterday…きのう
- [ ] enough…十分な
- [ ] sleep…眠る
- [ ] last night…夕べ、昨晩
- [ ] mean…〜という意味で言う

第3章

気持ちを伝える
ひとこと

Scene 1 感謝の気持ちを伝える
ありがとう

とにかくありがとう。	Thank you anyway.
ありがとう。	Thank you.
お時間をとらせてすみません。	Thank you for your time.
お礼の言いようもありません。	I can't thank you enough.
待っててくれてありがとう。	Thanks for waiting for me.
手伝ってくれてありがとう。	Thanks for helping me.
教えてくれてありがとう。	Thanks for telling me.
大変助かりました。	It was great help.

Conversation

ありがとう。 — Thank you.
どういたしまして。 — You're welcome.

お礼の言いようもありません。 — I can't thank you enough.
いいのよ。 — That's OK.

Point

- Thank you anyway.；相手が好意でしてくれたにもかかわらず、結果的にはあまり役に立たなかったときに使うひとこと。
- Thank you for your time.；直訳では「あなたの時間をありがとう」となります。
- I can't thank you enough.；直訳では「あなたに十分に感謝することができません」となります。
- It was great help.；直訳では「大きな助けでした」となります。

Words

- [ ] anyway…とにかく、何にしても
- [ ] help…手伝う、助ける
- [ ] wait for…〜を待つ
- [ ] tell…教える、知らせる
- [ ] great…大きな

Scene 2 謝罪の気持ちを伝える
ごめんなさい

ごめんなさい。	I'm sorry.
本当にごめんなさい。	I'm really sorry.
遅くなってごめんなさい。	I'm sorry I'm late.
失礼だったようで、ごめんなさい。	I'm sorry I was rude.
行けなくてごめんなさい。	I'm sorry I couldn't come.
迷惑かけてごめんなさい。	I'm sorry to trouble you.
あら、失礼。	Sorry.
失礼。	Excuse me.

Conversation

遅くなってごめんなさい。　　I'm sorry I'm late.
いいのよ。　　　　　　　　　It's OK.

迷惑かけてごめんなさい。　　I'm sorry to trouble you.
心配しないで。　　　　　　　Don't worry.

Point

- come：この場合の come は「(そちらへ) 行く」という意味で使われています。
- Sorry.：I'm sorry. よりカジュアルで軽い表現。
- Excuse me.：「ごめんなさい」というよりは「すみません」「ちょっと失礼します。」といったニュアンスで使われるひとことです。

Words

- [ ] sorry…すまないと思って
- [ ] really…本当に
- [ ] late…遅い、遅れた
- [ ] rude…失礼な、無礼な
- [ ] trouble…迷惑、面倒をかける
- [ ] worry…心配する

Scene 3 嬉しい気持ちを伝える
ラッキーだ!

CD▶33

> Just in time!
> 間に合った〜!

間に合った。	Just in time.
嬉しいわ。	I'm happy.
ラッキーだ!	I'm lucky!
ほっとしたわ。	I'm relieved.
素敵だわ。	Very nice.
言うことなしね。	That's good.
いい知らせよ。	Good news.
うそみたいだ。	This is too good to be true.

Conversation

ラッキーだ！　　　　　　　　　I'm lucky !
何があったの？　　　　　　　　What happened ?

会議はうまく行ったよ。　　　　The meeting went well.
ほっとしたわ。　　　　　　　　I'm relieved.

Point

- Just in time. ;「ちょうど時間に間に合った」というときのきまり表現。
- That's good. ;「それはいいですね」「いいわね」などいろいろに訳すことができます。
- This is too good to be true. ;直訳では「本当にしては良すぎる」となります。「信じられないくらい嬉しい」といったニュアンスを含みます。

Words

- [ ] happy…幸せな、嬉しい
- [ ] lucky…ラッキーな、幸運な
- [ ] relieve…ほっとさせる、安心させる
- [ ] nice…良い、素敵な
- [ ] news…知らせ、ニュース

Scene 4 悲しい気持ちを伝える
ついてないな〜

He didn't even call...
彼、電話もくれないんだ〜

I feel lonly...
さみしいな…

さみしいな。	I feel lonely.
残念だな。	I'm sorry.
がっかりだな。	I'm disappointed.
ついてないな〜	I'm out of luck.
困ったな〜	I'm in trouble.
ゆううつだな。	I feel down.
絶望的だな。	This is hopeless.
あんなことしなきゃよかったな。	I shouldn't have done it.

Conversation

がっかりだな。	I'm disappointed.
ごめんね、行けなくて。	Sorry, I couldn't come.
どうだった？	How was it?
絶望的だよ。	This is hopeless.

Point

- I'm sorry.；「ごめんなさい」「お気の毒です」という意味でも使います。
- out of luck；「運がわるく」の意。
- in trouble；「困って」の意。
- shouldn't have done；shouldn't have＋動詞の過去分詞で「～すべきでなかった」という表現になります。

Words

- [ ] feel…～と感じる
- [ ] lonely…さみしい、孤独な
- [ ] disappointed…がっかりした、失望した
- [ ] down…（気持ちが）沈んで
- [ ] hopeless…絶望的
- [ ] even…～さえ
- [ ] call…電話をかける

Scene 5 腹立たしい気持ちを伝える
聞いてないよ〜！

CD▶34

> How much do you have?
> いくら持ってるの？
>
> I have 5 yen ……
> 5円……
>
> Oh, no! Unbelievable!
> もう〜！信じられない〜！

信じられない！	Unbelievable.
冗談じゃないよ！	No kidding!
何とかしてよ！	Do something!
かんべんしてよね！	Give me a break!
聞いてないよ〜！	I haven't heard anything.
もううんざりよ！	I'm sick of it.
不公平よ！	It's not fair.
どういう意味だよ？	What do you mean?

Conversation

何とかしてよ！　　　　　　Do something!
落ち着きなさいよ。　　　　Calm down.

今日中に終わらせてね。　　Finish it today.
聞いてないよ～！　　　　　I haven't heard anything.

Point

- No kidding!；動詞の kid「からかう」の意味から。「ふざけるな！」などの意味でも使います。
- Give me a break!；直訳では「休み時間をちょうだい」となり、その意味でも使いますが「ちょっとまって、かんべんしてよね」といったニュアンスでもよく使うフレーズです。
- sick of；この sick は of を伴って「いやになって、あきあきして」という意味になります。

Words

- [ ] unbelievable…信じ難い
- [ ] something…何か（肯定文で使う）
- [ ] anything…何か（否定文、疑問文で使う）
- [ ] hear…聞く
- [ ] fair…公平な

Scene 6 思いやりのことばをかける
どうかしたの?

大丈夫?	Are you OK ?
無理しないで。	Take it easy.
どうかしたの?	What's wrong ?
顔色が悪いね。	You look pale.
深刻な顔してるね。	You look serious.
今の気分はどう?	How do you feel now ?
何を心配してるの?	What are you worried about ?
心配しないで。	Don't worry.

Conversation

どうかしたの?   What's wrong?
今は言えない。   I can't talk to you now.

今の気分はどう?   How do you feel now?
よくなったわ。   I'm better.

Point

- Take it easy.；「無理しないで気楽にいこうよ」といったニュアンスで使われるきまり表現。
- You look pale.；pale は「青白い」という意味。直訳では「あなたは青白く見える」となります。

Words

- wrong…悪い、よくない
- look…ここでは「〜に見える」という意味。
- serious…深刻な
- feel…感じる
- worry…心配する
- about…〜について
- talk…話す
- better…より良い

Scene 7 気配りを示す
お手伝いしましょうか？

CD-35

持ちましょうか？	Can I give you a hand ?
お手伝いしましょうか？	Can I help you ?
途中まで送りましょうか？	Can I drop you somewhere ?
気楽にしてね。	Make yourself at home.
休憩をとった方がいいよ。	You need a break.
何か飲みますか？	Would you like something to drink ?
その傷あとどうしたの？	What's the scar from ?
何をそんなにあわててるの？	Why are you so confused ?

Conversation

休憩をとった方がいいよ。　　You need a break.
ああ、もう12時か。　　　　Oh, it's already 12.

途中まで送りましょうか？　　Can I drop you somewhere?
ご親切にありがとう。　　　　How kind of you!

Point

- Can I give you a hand ?：直訳では「手を貸しましょうか？」となります。
- Make yourself at home.：「自分の家にいるときのようにくつろいでね」と言うときのきまり表現。
- Would you like～ ；「～はいかがですか？」と言うときのきまり表現。

Words

- [ ] help…手伝う、助ける
- [ ] drop…（車などから）降ろす
- [ ] somewhere…どこかで
- [ ] break…休憩、ひと休み
- [ ] scar…傷あと
- [ ] confuse…混乱させる、当惑させる

Scene 8 なぐさめる
運が悪かったね

何とかなるよ。	It'll work out.
運が悪かったね。	That's unfortunate.
そんなに気にしないで。	Don't feel so sad.
気を落とさないで。	Don't be depressed.
君の責任じゃないよ。	It's not your fault.
そういうこともあるよ。	It happens.
仕方がないよ。	It can't be helped.
気にしないで。	Never mind.

Conversation

😟 テストの点がすごく悪かったんだ。	My test score was very low.
😊 気を落とさないで。	Don't be depressed.
😊 また遅くなっちゃって、ごめん。	I'm sorry I'm late again.
😠 気にしなくていいよ。	Never mind.

Point

- It'll work out.：直訳では「それは解決するだろう」となります。work out は「解決する」の意。
- It happens.：「よくあることだ」という意味でも使われます。
- It can't be helped.：直訳では「助けられるはずがない」となります。

Words

- [ ] unfortunate…不運な
- [ ] sad…悲しい、悲しみに沈んだ
- [ ] depressed…ゆううつな、気のめいった
- [ ] fault…責任
- [ ] happen…（できごとが）起きる
- [ ] mind…気にする

Scene 9 励ます
応援してるよ

元気出して。	Come on.
がんばって！	Good luck!
もう一度やってごらんよ。	Try it again.
やるだけやってごらんよ。	Go ahead and try.
一か八かやってみよう。	Let's try our luck.
応援してるよ。	I'll back you up.
力になるよ。	I'm on your side.
あきらめないで。	Don't give up.

Conversation

- がんばって！ Good luck!
- うん、がんばるよ。 I'll need it.

- もうできないよ。 I can't any more.
- あきらめないで。 Don't give up.

Point

- Come on.：「がんばって」という意味でも使います。
- Go ahead and try.：直訳では「行ってやってごらん」となります。
- Let's try our luck.：直訳では「私達の運を試そう」となります。
- I'm on your side.：直訳では「私はあなたの見方よ」となります。

Words

- good luck…幸運
- try…試す、やってみる
- again…もう一度
- back up…応援する、助ける
- give up…あきらめる
- need…必要とする
- any more…これ以上は

Scene 10 誉める
すごいね!

ステキだよ。	You look nice.
すごいね！	Great!
よかったね。	Good for you.
いい考えだね。	Good idea.
ステキなシャツね。	I like your shirt.
ステキな車ね。	You have a nice car.
かわいい息子さんね。	You have a cute son.
お若く見えますね。	You look young for your age.

Conversation

100点取ったよ！   I got 100 points.
すごいね！   Great!

ステキな車ね。   You have a nice car.
気に入った？   Do you like it?

Point

- You look nice.；直訳では「あなたはステキに見える」となります。
- I like your shirt.；直訳では「私はあなたのシャツが好きです」となります。
- You have a nice car.；直訳では「ステキな車をお持ちですね」となりますが、You have a nice～は相手が持っている物をほめるときにもよく使われる表現です。

Words

- [ ] great…すごい、すばらしい
- [ ] idea…アイデア
- [ ] cute…かわいらしい
- [ ] son…息子
- [ ] age…年齢

Scene 11 驚く
びっくりさせないでよ！

びっくりした。	I'm surprised.
まあ、なんてこと！	Oh my!
本当なの？	Really?
びっくりさせないでよ！	Don't surprise me!
びっくりするじゃない。	You surprised me.
まさか。	Don't tell me.
そんなはずないわ。	It can't be.
それは驚きね。	That's amazing.

Conversation

ばぁ！	Boo!
びっくりさせないでよ！	Don't surprise me!
彼女、トムと結婚するんだって。	She is going to marry Tom.
そんなはずないわ。	It can't be.

Point

- Oh my！：Oh my god！直訳では「ああ、神様！」を省略した形。
- Don't tell me.：直訳では「私に言わないで」となりますが、「まさか」と言うときのきまり表現です。
- It can't be.：can't be で「〜であるはずがない」という意味。

Words

- [ ] really…本当に
- [ ] surprise…驚かす、びっくりさせる
- [ ] amazing…驚くほどの
- [ ] marry…〜と結婚する
- [ ] face…顔
- [ ] put on…（メイクなどを）する
- [ ] make-up…メイク

Scene 12 あきらめる
どうしようもないんだ

そういう運命だったんだよ。	It was fate.
あきらめたよ。	I give up.
もう終わったことよ。	It's all over.
絶望的だよ。	It's hopeless.
どうしようもないんだ。	I can't help it.
そうする以外にないんだ。	I have no other choice.
やっぱりね。	I thought so.
無理もないよ。	No wonder.

Conversation

あきらめたよ。 — I give up.
そんなに簡単にあきらめないで。 — Don't give up so early.

彼に電話してみたら? — Why don't you call him?
もう終わったことなの。 — It's all over.

Point

- It's all over.; It's over. で「終わった」の意。
- I can't help it.; 直訳では「私はそれを助けることができない」となりますが「どうしようもない」という意味で使われるきまり表現です。
- I have no other choice.; 直訳では「他に選択肢はない」となります。
- I thought so.; 直訳では「そう思った」となります。
- No wonder.; 直訳では「不思議ではない」となります。

Words

- fate…運命
- give up…あきらめる
- hopeless…絶望的な、望みのない

Scene 13 退屈
たいくつだな〜

つまらないな。	This is boring.
つまらなかったよ。	That was boring.
たいくつだな〜	I'm bored.
たいくつで死にそうだ。	I'm bored to death.
あー、つまんない！	What a bore!
つまらないらしいよ。	I hear it's boring.
時間の無駄だよ。	It's a waste of time.
無意味だね。	It's not worth the trouble.

Conversation

たいくつで死にそうだよ。   I'm bored to death.
宿題でもしたら？   Why don't you do your homework?

あの映画はどう？   How is that movie?
つまらないらしいよ。   I hear it's boring.

Point

- This is boring.：「何か（例えば、映画など）がたいくつでつまらない」という意味。
- I'm bored.：「自分がたいくつだ」という意味。
- I hear〜：直訳では「〜と聞いている」という意味。
- It's not worth the trouble.：直訳では「努力や心配をする価値がない」となります。

Words

- bore…たいくつさせる
- death…死
- waste…浪費
- time…時間
- worth…〜する価値のある
- trouble…努力、心配、ほねおり

Scene 14 疑いをもつ
どうかしらね…

> Ken seems to like me……
> ケンがね、私のこと好きみたいなの……

> I doubt it.
> どうかなぁ

どうかな。	I doubt it.
どうかしらね。	I'm not sure about it.
どうもそうじゃないみたい。	I'm afraid not.
そうじゃないといいけど。	I hope not.
そう願いたいね。	I expect so.
本当かもね。	It might be true.
多分そうじゃないわ。	Maybe not.
そんなことないわよ。	How can that be?

Conversation

どう思う？ What do you think?
本当かもね。 It might be true.

明日はお天気みたいよ。 It'll be fine tomorrow.
そう願いたいね。 I expect so.

Point

- I doubt it.：直訳では「私はそれを疑う」となります。
- I'm not sure abut it.：直訳では「そのことについてははっきり知らない」となります。
- I'm afraid not.：afraid は「残念で」という意味なので、「残念ながらそうじゃないみたい」という意味を含みます。
- It might be true.：直訳では「それは本当かも知れない」となります。
- How can that be?：直訳では「そんなことがあるものか？」となります。

Words

- [ ] sure…確かな
- [ ] hope…願う、望む
- [ ] expect…期待する

Scene 15 感想
今のところ順調だよ

まあまあだよ。 So-so.

とても気に入ったよ。 I liked it very much.

いいと思うよ。 I think it's nice.

たいしたことなかったよ。 It was nothing.

ますます悪くなってるよ。 Going from bad to worse.

今のとこ順調だよ。 Up till now, no problem.

いつもと同じだよ。 Same as usual.

問題は解決したよ。 Our problem solved.

Conversation

どう思う?	What do you think of it?
いいと思うよ。	I think it's nice.
結婚生活はどう?	How's married life?
ますます悪くなってるよ。	Going from bad to worse.

Point

- Going from bad to worse.：文頭に It's が省略された形で、直訳では「『悪い』から『いっそう悪い』に進んでいる」となります。worse は bad の比較級で「さらに悪い、いっそう悪い」という意味。
- Up till now, no problem.：直訳では「今のところまで、問題はない」となります。

Words

- [ ] nothing…何でもないこと
- [ ] same…同じ、同様の
- [ ] usual…いつもの、通常の
- [ ] problem…問題
- [ ] solve…解決する

Scene 16 注意をひく
見て!

> I heard something...
> 何か聞こえたよ…

> Are you sure?
> そう…

何か聞こえたよ。	I heard something.
あの音、何?	What's that noise?
見て!	Take a look!
あれを見て!	Look at that!
ねぇ、ねぇ。	You know.
聞いてよ!	Listen to me!
聞いてる?	Are you listening to me?
いい?	Are you ready?

Conversation

聞いてよ！ Listen to me!
聞いてるよ。 I'm listening.

あれを見て！ Look at that!
どこ？ Where?

Point

- Take a look!；take a look で「注意深く見る」という意味。
- You know.；「ねぇ、知ってる？」といったニュアンスで使います。
- Listen to me!；この場合の me は「私が言うこと」という意味。Are you listening to me? の me も同様。
- Are you ready?；直訳では「準備はいい？」の意。

Words

- [ ] heard…hear「聞こえる」の過去形。
- [ ] something…何か
- [ ] noise…物音、雑音
- [ ] look at…見る
- [ ] listen…聞く
- [ ] sure…確かな

Scene 17 興味がない
興味ないよ

CD-40

> Which one do you want?
> どれにする？

> Anyone is OK.
> どれでもいいよ。

どれでもいいよ。	Anyone is OK.
興味ないよ。	I'm not interested.
どうでもいいよ。	I don't care.
そのことにはまったく興味ないよ。	I feel no interest in it.
そういう気分じゃないよ。	I don't feel like it.
その気になれないよ。	I'm not in the mood.
お好きなように。	Whatever you want.
僕には関係ないよ。	It has nothing to do with me.

Conversation

赤か緑、どっちにする？ — Red or green?
どうでもいいよ。 — I don't care.

どうしようか？ — What should we do?
僕には関係ないよ。 — It has nothing to do with me.

Point

- I don't care.：直訳では「私は気にしない、かまわない」となります。
- Whatever you want.；Whatever ～で「～するものは何でも」という意味。
- nothing to do with～；「～には関係がない」という言い方。

Words

- [ ] anyone…どれでも
- [ ] interested…興味がある
- [ ] feel…感じる
- [ ] feel like…～したい気分である
- [ ] interest in…～に感心をもつ
- [ ] in the mood…～する気になって
- [ ] want…～したい、欲しい

Scene 18 疲れた
くたくただよ

寝てしまいそうだ。	I'm nearly falling asleep.
眠いなぁ。	I'm sleepy.
眠くなってきちゃった。	I'm getting sleepy.
疲れたなぁ。	I'm tired
くたくただよ。	I'm exhausted.
疲れ果てたよ。	I'm dead.
疲れて死にそう。	I'm dead tired.
だるいなぁ。	I feel dull.

Conversation

疲れて死にそう。 I'm dead tired.
昼寝でもしたら？ Why don't you take a nap?

手伝ってくれない？ Can you help me?
くたくたなんだよ。 I'm exhausted.

Point

- I'm nearly falling asleep.；nearly が「〜しそうだ」というニュアンスを表現しています。fall asleep は「寝入る」の意。
- I'm getting sleepy.；getting〜で「だんだん〜になる」という言い方。
- I'm dead.；この場合の dead は話しことばで「ぐったりと疲れた」という意味。

Words

- [ ] sleepy…眠い
- [ ] tired…疲れた
- [ ] be exhausted…疲れ果てる
- [ ] feel…感じる
- [ ] dull…だるい
- [ ] take a nap…昼寝をする

Scene 19 時間がない
時間がないんだ

CD-41

遅れちゃうよ。	I'll be late.
早くして。	Hurry up.
時間がないんだ。	I have no time.
時間だよ。	Time is up.
出かける時間だよ。	It's time to go.
今忙しいんだ。	I'm busy now.
今、手が離せないんだ。	I'm busy right now.
もう間に合わないよ。	We're already late.

Conversation

今ひま？　　　　　　　　　Are you free now?
今、手が離せないんだ。　　　I'm busy right now.

まだ間に合う？　　　　　　How's the time?
もう間に合わないよ。　　　　We're already late.

Point

- be late；未来形を伴って「遅れてしまう、遅刻してしまう」という意味。
- I have no～；「～がない」という言い方。
- Time is up.；「時間切れ」というときのきまり表現。
- We're already late.；直訳では「私たちはもう遅れている」となります。

Words

- hurry up…急ぐ
- busy…忙しい
- right now…ちょうど今
- already…もう、すでに
- late…遅れた、遅い
- free…暇な

Scene 20 後悔する
あんなこと言わなきゃよかったな

> I did it again!
> またやっちゃった！

またやっちゃった！	I did it again!
バカなことしちゃった。	I acted like a fool.
後悔してるんだ。	I regret doing that.
あのときやっておけばよかったな。	I should have done it then.
あんなことしなきゃよかったな。	I shouldn't have done it.
あんなこと言わなきゃよかったな。	I shouldn't have said that.
もっと勉強しておけばよかったな。	I should have studied harder.
彼に聞いておけばよかったな。	I should have asked him.

Conversation

あんなこと言わなきゃよかったな。	I shouldn't have said that.
何を言ったの？	What did you say?
もっと勉強しておけばよかったな。	I should have studied harder.
もう遅いわよ。	It's too late.

Point

- I acted like a fool.；直訳では「愚か者のように振舞った」ととなります。
- should have〜；should have＋動詞の過去分詞で「〜すべきだった、〜すればよかった」という表現になります。
- shouldn't have〜；shouldn't have＋動詞の過去分詞で「〜すべきではなかった、〜しなければよかった」となります。

Words

- [ ] regret…後悔する
- [ ] then…あのとき、そのとき
- [ ] harder…もっと一生懸命　hard「一生懸命な」の比較級。
- [ ] ask…たずねる

第4章

会話をなめらかにするひとこと

Scene 1 基本的なあいづち
ふ〜ん

CD-42

(Can I use this? これ借りていい? / Yeah… うん…)

うん。	Yeah.
ふ〜ん。	Un-huh.
そうねぇ。	Well....
でもねぇ。	But....
らしいわね。	Sounds like it.
なるほど。	I see.
そうなの？	Oh, yeah ?
私も。	Me, too.

Conversation

そろそろ行こうよ。	Let's go now.
でもねぇ。	But....
私、泳げないのよ。	I can't swim.
私もなんだ。	Me, neither.

Point

- Yeah.；Yes.と同様に使われるが、Yes.よりもカジュアルなあいづちのことば。
- Un-huh.；Yeah.と同様、Yes.よりもカジュアルに使われるごく軽いあいづちのことば。
- Sounds like it.；Sounds like〜で「〜らしい」というきまり表現。

Words

- [ ] see…理解する、わかる
- [ ] me…私に、私を　Iの目的格。
- [ ] too…〜もまた
- [ ] use…使う
- [ ] now…そろそろ、今
- [ ] swim…泳ぐ

Scene 2 会話を盛り上げるあいづち
すごいね！

その通り！	That's right !
絶対だよ！	Absolutely !
すごいね！	Great !
いいわね。	Fine.
すばらしい考えだね！	Great idea !
本当？	Really ?
そうなの？	Is that so ?
楽しそうね。	Sounds like fun.

Conversation

一位だったよ！   I got first prize.
すごいね！   Great!

トムが学校やめたんだって。   I heard Tom quit school.
そうなの？   Is that so?

Point

- That's right!；right は「正しい」の意。
- Absolutely!；Absolutely not!は直訳では「絶対違う！」から「とんでもない！」といったニュアンスでも使われます。
- Sounds like fun.：Sounds like〜で「〜みたい、〜らしい」というきまり表現。

Words

- [ ] great…すごい、すばらしい
- [ ] idea…考え
- [ ] really…本当に
- [ ] so…そう、それで
- [ ] fun…楽しい
- [ ] prize…賞
- [ ] quit…やめる、辞職する

Scene 3 程度を言うあいづち
いまいちね…

> Sounds perfect…
> か…完璧ね…

完璧ね。	Sounds perfect.
いまいちね…	Not too good.
まあまあよ。	Not too bad.
けっこういいよ。	Not bad.
よくないの。	Not good.
たまにね。	From time to time.
ちょっとだけね。	A little bit.
多少はね。	More or less.

Conversation

- 期末試験はどうだった？ How did your finals go?
- まあまあだよ。 Not too bad.

- メアリーにメールしてる？ Do you e-mail Mary?
- たまにね。 From time to time.

Point

- Not bad.；「かなりいいよ」という意味でも使います。
- Not good.；「具合が良くない」「試験が良くなかった」などさまざまな場面で使います。
- From time to time.；「時々」という意味のきまり表現。
- More or less.；「多少、いくぶん」という意味のきまり表現。

Words

- Sounds~…~みたいね
- perfect…完璧な
- too…~すぎる
- little bit…ほんの少し
- finals…期末試験
- e-mail（動詞）…~にメールを送る

Scene 4 聞き返す
何て言ったの?

何か言った?	Did you say anything ?
何て言ったの?	What did you say ?
何て?	Come again ?
もう一度言ってくれる?	Can you tell me again ?
もう一度お願いできる?	Pardon me ?
聞こえなかったんだけど。	I couldn't hear you.
聞き取れなかったんだけど。	I couldn't catch that.
大きい声で話してくれる?	Can you speak up ?

Conversation

😊 明日の午前中はどう？ — How about tomorrow morning?

😅 ごめん、何て言ったの？ — Sorry, come again?

😊 彼女に言った方がいいよ。 — You should tell her.

😟 聞こえなかったんだけど。 — I couldn't hear you.

Point

- Come again?；「もう一度言って」というニュアンスを含みます。
- Pardon me?；pardon は「許す」という意味ですが「もう一度言って」というときのきまり表現です。
- I couldn't catch that.；この場合の catch は「聞き取る」という意味。電話などでよく使うフレーズです。

Words

- anything…何か　肯定文では something を使います。
- say…言う
- tell…話す
- hear…聞こえる
- speak up…声を大きくして話す
- fault…責任

Scene 5 理解できない
わからなくなってきたよ

むずかしくてわからないよ。	It's over my head.
よくわからないよ。	I don't really understand.
わからないよ。	I can't follow you.
混乱してきたよ。	I'm confused.
わからなくなってきたよ。	I'm lost.
もっとわかりやすく話して。	Speak more clearly.
他の言い方で言って。	Say it in another way.
もっと簡単なことばで言って。	Say it in simpler language.

Conversation

わかってくれた？ — Do you understand me?
よくわからないよ。 — I don't really understand.

混乱してきたよ。 — I'm confused.
ゆっくり考えて。 — Take your time.

Point

- It's over my head：直訳では「私の能力、知力を超えている」となります。
- I can't follow you.：直訳では「あなたの言うことについていけない」となります。
- I'm lost.：直訳では「私は道に迷った」となりますが、ここでは「話がわからなくなってしまった」という意味。

Words

- understand…理解する
- confused…混乱させる
- clearly…はっきりと、明らかに
- another…他の、別の
- simpler…もっと簡単な
- simple の比較級。
- language…ことば、話し方

Scene 6 話についていけない
何が言いたいの?

(コマ内)
- How was Emily? エミリー元気だった?
- What? What are you talking about? えっ? な…何のこと言ってるんだよ?

何のこと言ってるの?	What are you talking about?
誰のことを言ってるの?	Who are you talking about?
メアリーのことを言ってるの?	Are you talking about Mary?
要点がわからないんだけど。	I can't see your point.
何が言いたいの?	What's your point?
ちょっと待って。	Wait a minute.
もっとゆっくり話して。	Speak more slowly.
というと…	You mean......

Conversation

彼女ってかわいいな！
She is cute!

メアリーのことを言ってるの？
Are you talking about Mary?

何が言いたいの？
What's your point?

もういいよ。
Forget it.

Point

- your point：「あなたの話の要点、主旨」という意味。
- What's your point？：直訳では「あなたの話の要点は何？」となります。
- Wait a minute.：直訳では「1分待って」となりますが「ちょっと待って」というときのきまり表現です。
- You mean...：You mean...のあとに文章をつけて使います。例えば You mean he isn't coming back？「ってことは彼は戻って来ないってこと？」のように使います。

Words

- [ ] talk…話す
- [ ] see…理解する、わかる
- [ ] more…もっと
- [ ] slowly…ゆっくりと

Scene 7 英語で言えない
英語で何て言うんだっけ？

CD-45

何て言うんだっけ？	What do you call it ?
何て言ったかしら？	What is it called ?
思い出せないわ。	I can't remember.
何て言うんだっけ？	What's the word ?
英語で何て言うんだっけ？	What's the English word ?
何て言えばいいのか…	What should I say ?
何て言えばいいのか…	How can I say this ?
適当なことばが見つからないわ。	I can't think of the exact word.

Conversation

英語で何て言うんだっけ？ — What's the English word?
ホットスプリング？（温泉？） — Hot spring?

どうしてエミリーと結婚しないの？ — Why don't you marry Emily?
何て言えばいいのかなぁ… — How can I say this?

Point

- What do you call it ?：相手にたずねるフレーズ。
- What shall I call ?：「なんて言うんだったかな」と自分自身に問いかけるようなニュアンス。
- How can I say this ?：「どう言えばわかってもらえるんだろう」といった気持ちが含まれています。

Words

- [ ] call…呼ぶ、
- [ ] remember…思い出す
- [ ] word…ことば、単語
- [ ] English word…英語のことば
- [ ] think of…思いつく
- [ ] exact…適当な

Scene 8 自分の話を聞いてもらう
ちょっと時間ある?

> Can I talk to you?
> ちょっと話してもいい?

> Uh...., I'm busy right now.
> ん〜、今忙しいんだよ。

ちょっと話してもいい?	Can I talk to you ?
ちょっと時間ある?	Do you have a minute ?
今忙しい?	Are you busy right now ?
アドバイスしてもいい?	Can I give you some advice ?
話があるんだけど。	I'm telling you.
あのね。	You know ?
相談があるんだけど。	May I ask your advice ?
話があるんだけど。	I need to talk to you.

Conversation

話があるんだけど。 I'm telling you.
今すぐ？ Right now?

話があるんだけど。 I need to talk to you.
何か深刻な話？ Is it something serious?

Point

- Do you have a minute？：a minute「1分」で、「ちょっと時間ある？」というときのきまり表現。a minute のかわりに a second「1秒」もよく使われます。
- right now：「今すぐに」という意味、now だけよりも差し迫ったニュアンスがあります。
- You know？：会話の中で「あのね」というときのきまり表現。
- need；need は「～する必要がある」という意味で、必要に迫られているニュアンスを表現することができます。

Words

- [ ] talk…話す
- [ ] busy…忙しい
- [ ] give～an advice…アドバイスをする
- [ ] tell…言う

Scene 9 話題を変えたい
話題を変えない?

CD▶46

> Well... さてと...

> I'm not finished! まだ話終わってないわよ!

さて…	Well...
この話は終わりにしよう。	Let's finish the talk.
別の話をしよう。	Let's talk about something else.
話題を変えない?	Shall we change the subject?
実はね…	To tell the truth, ...
ところで…	By the way, ...
〜と言えば…	Speaking of......
いいかげんにして!	That's enough!

Conversation

😀 そう言えば、今日メアリーから電話があったよ。 By the way, Mary called you today.
😊 何時ごろ？ When?

😀 この話は終わりにしようよ。 Let's finish the talk.
😊 そうね、そうしましょう。 Yes, let's.

Point

- something else；「何か別のこと」という意味。
- Shall we〜；「〜しましょうか？」という意味なので、このフレーズを直訳すると「話題を変えましょうか？」となります。
- Speaking of...；Speaking of Mr.Tanaka, he is...「田中さんっていえば、彼って…」といった具合に使う表現です。
- That's enough！；ふつうの言い方をすると「もう十分です」という表現になります。

Words

- [ ] finish…終える
- [ ] change…変える
- [ ] subject…話題
- [ ] truth…真実
- [ ] enough…十分な

Scene 10 話の途中で
お話し中すみません

すぐに戻るから。	I'll be back soon.
すぐに戻るから。	I'll be right back.
ちょっと失礼します。	Excuse me for a minute.
お話し中すみません。	Sorry to interrupt you.
お邪魔かしら?	Am I interrupting?
割り込むつもりじゃなかったんだけど。	I didn't mean to interrupt you.
そろそろ帰る時間だわ。	It's time to leave now.
行かなくちゃならないので…	I hate to run, but....

Conversation

- ちょっと失礼します。 　Excuse me for a minute.
- 気にしないでください。 　Don't worry.

- お邪魔かしら？ 　Am I interrupting?
- いいよ。どうしたの？ 　It's Okay. What's up?

Point

- Excuse me for a minute.；for a minute は「1分間」の意味から中座するときなどに使う「ちょっと失礼」というときのきまり表現です。
- Sorry to interrupt you.；interrupt は「邪魔をする、割り込む」という意味なので、直訳では「お邪魔をしてすみません」となりますが「お話し中すみません」というときのきまり表現です。
- I hate to run, but....；直訳では「行きたくないのですが」となります。

Words

- [ ] be back…戻る
- [ ] mean…〜のつもりで言う
- [ ] leave…出発する、立ち去る
- [ ] hate…嫌う、遺憾に思う
- [ ] run…急いで行く

Scene 11 相手の意見を引き出す
どう思う?

CD-47

> How do you think about Tom?
> トムのことどう思う?

> Uh…, he is…nice….
> ん〜…ステキよ…

トムのことどう思う?	What do you think about Tom?
どう思う?	What do you think?
そう思わない?	Do you think so?
どうだった?	How was it?
期末試験はどうだった?	How were your finals?
どう、気に入った?	How do you like it?
聞いてもいい?	Can I ask you a question?
それでいい?	Is that OK?

Conversation

聞いてもいい？ — Can I ask you a question?
いいよ、何のこと？ — Sure. What about?

それでいい？ — Is that OK?
いいよ。 — No, problem.

Point

- What do you think?：「あなたはどう思う?」というときのきまり表現です。
- Do you think so?：直訳では「そう思う?」となりますが日本語の「そう思わない?」と同じニュアンスで使います。
- Can I〜：「〜してもいい?」というときのきまり表現で May I〜よりもカジュアルな言い方になります。

Words

- think…思う、考える
- about…〜について
- finals…期末試験
- like…気に入る、好き
- ask…たずねる
- question…質問

Scene 12 状況を聞く
あれはどうなった?

結婚生活はどう？	How's married life?
テストどうだった？	How was the test?
試合はどうだった？	How was the game?
会議はどうだった？	How was the meeting?
結果はどうなった？	How did it turn out?
あれはどうなった？	How are you making out?
どうして遅れてるの？	What's keeping you?
状況を教えて。	Let me know the situation.

Conversation

テストどうだった？ How was the test?
すごく簡単だったよ。 It was very easy.

どうして遅れてるの？ What's keeping you?
ごめん、すぐに行くから。 Sorry, I'll be there soon.

Point

- turn out；「結果が〜となる」という意味。
- How are you making out？；make out で「何とかする」という意味。「例のあれはどうなった？」といったニュアンスで使われるフレーズです。
- What's keeping you？；直訳では「何があなたを引き留めているの？」となりますが「どうして遅れてるの？」というときのきまり表現です。
- Let me know〜；「〜を教えて」というときのきまり表現。

Words

- [ ] married life…結婚生活
- [ ] game…試合、ゲーム
- [ ] meeting…会議、ミーティング
- [ ] situation…状況
- [ ] easy…簡単な

Scene 13 生活の中でよく使う質問(1)
どうしたの?

CD▶48

> Wow! Tom's studying!
> わっ！トムが勉強してる！
>
> What happened?
> ど…どうしたの??

どうしたの？	What happened ?
どうかしたの？	What's the matter ?
何をしてるの？	What are you doing ?
何を作ってるの？	What are you making ?
（彼は）どういうつもりなんだろう？	What's he driving at ?
もう終わった？	Are you already done ?
まだ終わってないの？	Aren't you done yet ?
長くかかる？	Will it take long ?

Conversation

どうかしたの？ What's the matter?
何でもないよ。 Nothing.

もう終わった？ Are you already done?
もうちょっと！ Almost!

Point

- What's the matter?：直訳では「何が問題なの？」となります。matter は「問題、支障」の意。
- What's he driving at?：drive at で「～をするつもりでいる、～を目指す」という意味。
- take long：「時間が長くかかる」という意味。

Words

- [ ] happen…（事件などが）起きる
- [ ] do…する
- [ ] make…作る
- [ ] already…もう、すでに
- [ ] yet…まだ
- [ ] study…勉強する
- [ ] almost…ほとんど

Scene 14 生活の中でよく使う質問(2)
あの音は何?

> What are you reading?
> 何を読んでるの?

> I can't show you!
> 見せない!

何を読んでるの？	What are you reading ?
あの音は何？	What's that noise ?
あの臭いは何？	What's that smell ?
何をたくらんでるの？	What are you up to ?
誰と一緒に行くの？	Who are you going with ?
誰がしたの？	Who did it ?
どこへ行くの？	Where are you going ?
何か言った？	Did you say something ?

Conversation

あの音は何? — What's that noise?
健のバイクだよ。 — Ken's bike.

何か言った? — Did you say something?
気のせいだろ? — It's just your imagination.

Point

- Who are you going with?：文法的におかしいと思われるかも知れませんが「誰と行くの?」とたずねるときの最も自然な言い方です。
- Did you say something?：一般的に something は肯定文で使われることが多く、否定文や疑問文では anything が使われることが多いのですが、この場合は something を使うので覚えておきましょう。
  Would you like something to drink? なども同様です。

Words

- [ ] noise…雑音、物音、騒音
- [ ] smell…臭い
- [ ] up to…〜をもくろんで
- [ ] show…見せる

Scene 15 単純な質問
何のために?

これ誰の？	Whose is this ?
これは何？	What's this ?
何のために？	What for ?
でも何？	But what ?
彼女、誰？	Who is she ?
じゃあ誰なの？	Then who ?
どうして私なの？	Why me ?
どこへ？	Where to ?

Conversation

でも… But....
でも何？ But what?

僕じゃないよ！ Not me!
じゃあ誰なの？ Then who?

Point

- Whose；「誰の？」「誰のもの？」といった意味で使います。
  「誰の？」といういう意味で使う場合は、
  Whose book is this？「これは誰の本ですか？」というように
  Whose のあとに必ず名詞が入ります。
- Who；「誰？」「誰が？」「誰に？」といった意味で使います。
  Who did it? 「誰がしたの？」
  Who did you see? 「誰に会ったの？」というように使われます。話し言葉では「誰に？」は通常 whom ではなく who を使います。

Words

- [ ] but…でも、しかし
- [ ] then…じゃあ、それでは
- [ ] mine…私の、私のもの

Scene 16 どれくらい？
どれくらい遠い？

どれくらい大きい？	How big ?
どれくらい小さい？	How small ?
どれくらいの間隔で？	How often ?
どれくらいの期間？	How long ?
どれくらい早く？	How early ?
どれくらい遅く？	How late ?
どれくらいすぐに？	How soon ?
どれくらい遠い？	How far ?

Conversation

😊 どれくらいの間隔で？　　　　How often ?
😄 1日3回。　　　　　　　　　Three times a day.

😊 どれくらいの期間？　　　　　How long ?
😄 5年間。　　　　　　　　　　For 5 years.

Point

- How often ?；often は「しばしば、たびたび」という意味で、直訳では「どれくらい頻繁に？」となり、もちろんそのニュアンスでも使われます。
- How long ?；距離、寸法、時間、期間などについて使われるフレーズです。

Words

- [ ] big…大きい
- [ ] small…小さい
- [ ] early…早く、早い
- [ ] late…遅い、おそくまで、夜ふけまで
- [ ] soon…すぐに
- [ ] far…遠い
- [ ] too…〜すぎる

Scene 17 誘う
遊びに来ない？

> Why don't we go for a drive?
> ドライブでも行かない？

> Let me see...
> そうね……

ドライブに行かない？	Why don't we go for a drive?
遊びに来ない？	Won't you come over?
一緒に行かない？	Would you join us?
ショッピングに行こうよ。	Let's go shopping.
よかったらご一緒にどうぞ。	If you please, come with me.
会う時間ない？	Can you make time to see me?
時間つくってくれる？	Can you take time for me?
日曜日は何してる？	What are you going to do on Sunday?

Conversation

一緒に行かない？ — Would you join us?
喜んで。 — I'd like to.

日曜日は何してる？ — What are you going to do on Sunday?
ゆっくりしてるよ。 — Just take it easy.

Point

- Why don't we〜：「〜しない？」と誰かを誘うときの言い方。
- If you please：「もしよろしければ」というときのきまり表現。
- Can you make time to see me？：直訳では「私に会う時間を作ってくれますか？」となります。
- Can you take your time for me？：直訳では「私のために時間をさいてくれますか？」となります。
  take time で「時間をさく、時間を費やす」の意。

Words

- [ ] go for drive…ドライブに行く
- [ ] come over…やって来る
- [ ] join…加わる、仲間入りする
- [ ] shopping…ショッピング
- [ ] are going to…be going to で「〜する予定である」

Scene 18 都合を聞く
今晩予定ある?

> Do you have any spare time next week?
> 来週時間ある?

> Never!!
> ない!!

来週時間ある?	Do you have any spare time next week ?
今晩予定ある?	Do you have plans tonight ?
明日、ひま?	Are you free tomorrow ?
週末忙しい?	Are you busy this weekend ?
あなたはいつが都合いい?	When is it convenient for you ?
いつ会おうか?	When shall we meet ?
月曜日はどう?	How about Monday ?
次の日曜日の午前中はどう?	How about next Sunday morning ?

Conversation

😀 いつ会おうか？ 　　　　　When shall we meet?
😊 水曜日がいいんだけど。　　Wednesday is fine.

😀 月曜日はどう？　　　　　　How about Monday?
😊 いいよ。　　　　　　　　　That'll be fine.

Point

- any spare time；spare time は「余分な時間」の意。any は some 「いくらかの」と同じ、疑問文では some の代わりに any が使われることが多い。
- this weekend：「今週の週末」という意味。
- How about～；「～はどう？」というときのきまり表現。

Words

- [ ] plan…予定、計画
- [ ] tonight…今晩
- [ ] next week…来週
- [ ] free…暇な、用事のない
- [ ] busy…忙しい
- [ ] convenient…都合の良い
- [ ] meet…会う

Scene 19 都合を言う
その日は都合が悪いの

CD▶51

> Sorry, I have plans.
> ごめん予定があるんだ。

> Who are you talking with?
> 誰と喋ってるの？

明日は忙しいんだ。	I'll be busy tomorrow.
ごめん、予定があるの。	Sorry, I have plans.
その日は都合が悪いの。	That's a bad day for me.
月曜日がいいわ。	Monday is fine.
金曜日がお休みなの。	I have Fridays off.
今日はお休みをとったの。	I'm taking the day off.
私はどっちの日でもいいよ。	Either day is OK with me.
日曜日以外ならいつでも。	Any day except Sunday.

Conversation

今日はお休み？　　　　　　　　Are you off today?
今日はお休みをとったの。　　　I'm taking the day off.

ごめん、予定があるの。　　　　Sorry, I have plans.
明日は？　　　　　　　　　　　How about tomorrow?

Point

- Fridays off；Fridays は複数形をとることで「毎週金曜日」という意味になります。ここでの off は「仕事が休み」という意味。
- taking the day off；take〜off で「(〜日間) 休みをとる」という意味。

Words

- [ ] tomorrow…明日
- [ ] have…〜がある
- [ ] fine…大丈夫、良い
- [ ] either…どちらでも
- [ ] with…〜にとっては
- [ ] except…〜以外は
- [ ] talk…話す

Scene 20 キケンに対処する
誰か〜!

抵抗しません!	I won't resist!
誰か〜!	Somebody!
やめて!	Stop it!
どろぼう!	Thief!
あの男をつかまえて!	Stop that man!
助けて!	Help me!
全部持っていって!	Take everything!
お金はここにあるから!	Here's the cash!

Conversation

- 動くな！ Freeze!
- 助けて！ Help me!

- 金を出せ！ Give me the money!
- わかった！お金はここにあるから！ OK, here's the cash!

Point

- Stop it!；「やめて！」「やめなさい！」「やめろ！」などいろいろに訳すことができます。
- Stop that man!；直訳では「あの男を止めて」となります。
- Here's〜；「ここに〜がある」と言うときのきまり表現です。

Words

- [ ] won't…will not の省略で意思を表します。
- [ ] resist…抵抗する、反抗する
- [ ] help…助ける
- [ ] take…持って行く
- [ ] everything…全部、すべて
- [ ] cash…現金
- [ ] freeze…凍る　俗語で「現状にとどまる」の意。
- [ ] give…与える

Scene 21 学校について
夏休みはいつから?

何年生?	What grade are you in?
何クラブに入ってるの?	What club are you in?
学校はどこ?	Where do you go to school?
大学はどちらですか?	Where did you go to college?
5年です。	I'm in the fifth grade.
私の好きな科目は英語です。	My favorite subject is English.
夏休みはいつから?	When does the summer vacation begin?
冬休みはいつからいつまで?	When does the Christmas vacation begin and end?

Conversation

😊 学校はどこ？

Where do you go to school?

😊 桜中学です。

I go to Sakura junior high school.

😊 何クラブに入ってるの？
😊 コーラス部です。

What club are you in?
I belong to the chorus club.

Point

- What grade are you in？；大学や高校では What year are you in？と言うことが多いです。
- Where do you go to school？；日本語訳との間に違和感を感じるかも知れませんが、学校をたずねるときのごく自然な言い方です。
- Christmas vacation；「冬休み」のことは Christmas vacation といいます。

Words

- ☐ college…大学　現在では2年制、4年制の両方に使われます。
- ☐ grade…年級
- ☐ favorite…好きな、得意な
- ☐ subject…科目
- ☐ belong to…～に所属する

Scene 22 仕事について
どこで働いてるの?

> Do you enjoy your job?
> 仕事楽しい?

> It's not so bad..
> まぁまぁかな……

> NO!

お仕事はいかがですか?	Do you enjoy your job ?
お仕事は何ですか?	What business are you in ?
どこで働いてるの?	**Who do you work for ?**
コンピューターの会社で働いています。	I work for a computer company.
銀行で働いていました。	I worked for a bank.
会社員です。	I'm an office worker.
主婦です。	I'm a **homemaker**.
学生です。	I'm a student.

Conversation

どこで働いてるの? — Who do you work for?
病院で働いています。 — I work for a hospital.

お仕事は何ですか? — What business are you in?
公務員です。 — I'm a government employee.

Point

- Who do you work for?；直訳では「誰のために働いているの?」となりますが「どこで働いているの?」とたずねるときのきまり表現です。こう聞かれたら、自分の会社名や業種名を答えます。
- homemaker；最近では housekeeper よりも好んで使われます。

Words

- [ ] job…仕事
- [ ] business…仕事、商売、取引
- [ ] company…会社
- [ ] bank…銀行
- [ ] office worker…会社員
- [ ] hospital…病院
- [ ] government employee…公務員

Scene 23 趣味について
どんなスポーツが好き?

CD▶53

(Do you have any hobbies? ご趣味は何ですか? スノボー? I like shogi! 僕は将棋が好きなんです!)

趣味は何ですか?	Do you have any hobbies ?
何かスポーツをしますか?	Do you play any sports ?
何に興味があるの?	What are your interests ?
どんな音楽が好きですか?	What kind of music do you like ?
どんなスポーツが好き?	What kind of sports do you like ?
野球が好きです。	I like baseball.
サッカーの試合を見るのが好きです。	I like watching soccer games.
音楽を聴くのが好きです。	I like listening to music.

Conversation

何に興味がありますか？　　　What are your interests?
映画が好きです。　　　　　　I like movies.

趣味は何ですか？　　　　　　Do you have any hobbies?
カラオケが好きです。　　　　I like Karaoke.

Point

- Do you have any hobbies?；直訳では「何か趣味がありますか?」となります。
- What are your interests?；直訳では「あなたの興味のあることは何ですか?」となります。
- What kind of〜；「どんな種類の〜」というきまり表現。

Words

- [ ] hobbies…趣味　hobby の複数形。
- [ ] play…（スポーツなどを）する
- [ ] interest…興味、趣味、関心事
- [ ] music…音楽
- [ ] watching…見ること　watch＋ing の動名詞の形。
- [ ] soccer games…サッカーの試合
- [ ] listening…聴くこと　listen＋ing の動名詞の形。

Scene 24 夢について
私の夢がかなったの！

私、女優になりたいんだ。	I want to be an actress.
私、医者になりたいの。	I want to be a doctor.
私、先生になりたいの。	I want to be a teacher.
私、弁護士になるんだ。	I'm going to be a lawyer.
僕、パイロットになるんだ。	I'm going to be a pilot.
私、看護婦さんになるの。	I'm going to be a nurse.
私の夢がかなったの！	My dream came true!
彼女の夢は歌手になることなの。	Her dream is to be a singer.

Conversation

私、弁護士になるんだ。 I'm going to be a lawyer.
すごいね！ Great!

彼女は歌うことが好きね。 She likes singing.
彼女の夢は歌手になることなの。 Her dream is to be a singer.

Point

- want to be；このbeは「～になる」という意味。want to beで「～になりたい」となります。もちろんbeの代わりにbecomeを使っても同じです。
- I'm going to～；「～するつもり」と言いたいときの表現です。
- came true；come trueで「本当になる」の意。cameはcomeの過去形。

Words

- [ ] lawyer…弁護士、法律家
- [ ] nurse…看護婦
- [ ] her…彼女の
- [ ] dream…夢
- [ ] singer…歌手

Scene 25 あいさつ どうしてた?

CD-54

> How are the kids?
> 子供達は元気?

> Yeah,.... they're all fine...
> ええ、みんな元気よ......

子供達は元気?	How are the kids?
元気?	How are you?
体調はどう?	How are you feeling?
どうしてた?	How have you been?
元気よ。	I'm fine.
もう行かなきゃ。	I have to go now.
お話できて楽しかったわ。	Nice talking with you.
またね。	See you later.

Conversation

- 体調はどう? — How are you feeling?
- 何とか生きてるよ。 — Just surviving.

- どうしてた? — How have you been?
- 元気だったよ。 — I've been all right.

Point

- How are you?；「お元気ですか?」というときのきまり表現。
- How are you feeling?；直訳では「どんな感じがしますか?」となりますが体調をたずねるときのきまり表現です。
- How have you been?；「しばらく会わなかったけど、どうしてた?」といったニュアンスで使うフレーズです。
- I'm fine.；通常 I'm fine, thank you. と答えます。

Words

- [ ] kid…子供
- [ ] fine…元気な
- [ ] have to…〜しなければならない
- [ ] now…今、すぐに、もう
- [ ] see…会う
- [ ] later…また今度、のちほど

Scene 26 人を紹介する
古くからの友人です

こちらが私の兄です。 — This is my brother.

こちらが田中くみさんです。 — This is Miss. Kumi Tanaka.

伊藤さんをご紹介します。 — I'd like to introduce Mr. Ito.

古くからの友人です。 — We're old friends.

会社の同僚です。 — We work in the same company.

姉は来年結婚するんです。 — My sister's going to get married next year.

息子は来年卒業です。 — My son will graduate next year.

彼女は一人暮らしです。 — She lives alone.

Conversation

- 伊藤さんをご紹介します。 I'd like to introduce Mr. Ito.
- はじめまして、伊藤さん。 Nice to meet you, Mr. Ito.
- 彼女はご両親と同居してるの？ Does she live with her parents?
- 一人暮らしです。 She lives alone.

Point

- This is～;「こちらは～です」と人を紹介するときのきまり表現です。He is～、She is～という言い方はしないので要注意です。
- old friends；「古くからの友人」という意味。決して「年をとった友人」という意味ではないので注意しましょう。
- We work in the same company.；直訳では「私たちは同じ会社で働いています」となります。

Words

- [ ] introduce…紹介する
- [ ] get married…結婚する
- [ ] graduate…卒業する
- [ ] alone…ひとりで

Scene 27 自己紹介
7月5日に二十歳になります

男の子がふたりいます。　　I have two sons.

自己紹介します。　　Let me introduce myself.

私の名前は山田一郎です。　　My name is Ichiro Yamada.

7月5日に二十歳になります。　　I will be twenty on July 5th.

ニューヨークで生まれました。　　I was born in New York.

大阪で育ちました。　　I was brought up in Osaka.

神戸に住んでいます。　　I live in Kobe.

結婚しています。　　I'm married.

Conversation

😊 何歳ですか？　　　　　　　How old are you?
😄 7月5日に二十歳になります。　I will be twenty on July 5th.

😊 どこに住んでいるの？　　　Where do you live?
😄 神戸に住んでいます。　　　I live in Kobe.

Point

- Let me introduce myself.：直訳では「自己紹介させてください」となりますが「自己紹介します」と言うときのきまり表現です。
- I will be：ここでの be は「〜になる」という意味。
- was brought up：bring up が「育てる」という意味で、was brought up はその受動態の過去形。直訳では「育てられた」となります。

Words

- [ ] have…〜がいる
- [ ] July…7月
- [ ] be born…生まれる
- [ ] live…住む、暮らす
- [ ] be married…結婚している

Scene 28 年齢、身長、体重
身長はどれくらい？

体重はどれくらい？	How much do you weigh?
100ポンドくらいよ。	I weigh about one hundred pounds.
何歳？	How old are you?
14歳です。	I'm fourteen.
若く見えるね。	You look young.
身長はどれくらい？	How tall are you?
5フィート2インチくらいです。	About 5 feet 2 inches.
平均的な身長です。	My height is average.

Conversation

25歳よ。 I'm twenty-five.
若く見えるね。 You look young.

身長はどれくらい？ How tall are you?
160センチよ。 160 centimeters.

Point

- How much〜；量や重さ、値段をたずねるときの言い方。
- one hundred pounds；1ポンドは約453グラム。
- How old are you？；年齢をたずねるときのきまり表現ではありますが、親しい間柄で使いましょう。
- How tall〜；高さをたずねるときの言い方で、人や建物などに対して使うことができます。
- 5 feet 2 inches；1 foot は約30センチ。feet は foot 複数形。1 inch は約2.5センチ。inches は inch の複数形。

Words

- [ ] weigh…目方がある、目方をはかる
- [ ] look…〜に見える
- [ ] young…若い、若々しい
- [ ] height…身長、高さ
- [ ] average…平均

著者略歴

野村　真美
（のむら　まみ）

南山大学卒。
小中学生対象の英語教室を主宰するかたわら、英会話の本を多数出版。
海外においても翻訳出版されている。著書に、
「CD BOOK 仕事で使う英語」
「CD BOOK 日常生活で使う短い英語表現」
「CD BOOK 身のまわりの生活英語表現」
「CD BOOK 動いておぼえる日常英語表現」以上、ベレ出版
「日常英会話の基本の基本フレーズが身につく本」（韓国にて翻訳出版）
「日常英会話の初級の初級フレーズが身につく本」
「入門　50才からの英会話」
「超入門　一夜づけの旅行英会話」（台湾にて翻訳出版）
「初級英会話の基本フレーズ1053が3時間で身につく本」
「CD BOOK 日常英会話の決まり表現1100」
「CD BOOK 日常英会話の〈新鮮〉基本構文81」以上、明日香出版社
「1日3フレーズで身につく生きた英会話」NOVA
また、英国の田園地帯の小さな町々を訪れ、英国のアンティーク陶器BLUE&WHITEの研究を続けている。そんな中から生まれたエッセイに「アリスの国のおいしい紅茶」光人社がある。

CD BOOK　気持ちをあらわす日常英語表現
（きも）（にちじょうえいごひょうげん）

2001年10月25日　初版発行 2006年3月30日　第20刷発行	
著者	野村　真美（のむら　まみ）
カバーデザイン	竹内　雄二
イラスト	ツダタバサ

© Mami Nomura 2001. Printed in Japan

発行者	内田　眞吾
発行・発売	べレ出版 〒162-0832 東京都新宿区岩戸町12レベッカビル TEL 03-5225-4790 FAX 03-5225-4795 振替 00180-7-104058
印刷	三松堂印刷株式会社
製本	根本製本株式会社

落丁本・乱丁本は小社編集部あてにお送りください。送料小社負担にてお取り替えします。

ISBN 4-939076-80-6 C2082　　　　　編集担当　綿引ゆか